LE MANDALA
Une rencontre avec soi

Catalogage avant publication de Bibliothèque et Archives nationales du Québec et Bibliothèque et Archives Canada

Jacques, Claudette

    Le mandala : une rencontre avec soi : découvrir et utiliser le mandala comme outil de transformation

    ISBN 978-2-89436-275-4

    1. Mandala. 2. Réalisation de soi - Miscellanées. I. Titre.

BL604.M36J322 2010   203'.7   C2010-942006-3

Nous reconnaissons l'aide financière du gouvernement du Canada par l'entremise du Programme d'aide au développement de l'industrie de l'édition (PADIÉ) pour nos activités d'édition.

Nous remercions la Société de développement des entreprises culturelles du Québec (SODEC) pour son appui à notre programme de publication.

Infographie de la couverture: Marjorie Patry

Mise en pages : Marjorie Patry

Correction et révision linguistique : Amélie Lapierre

Éditeur :   Les Éditions Le Dauphin Blanc inc.
          6655, boulevard Pierre-Bertrand, local 133
          Québec (Québec) G2K 1M1 CANADA
          Tél. : 418 845-4045 Téléc. : 418 845-1933
          Courriel : dauphin@mediom.qc.ca
          Site Web : www.dauphinblanc.com

ISBN : 978-2-89436-275-4

Dépôt légal :   3e trimestre 2010
             Bibliothèque nationale du Québec
             Bibliothèque nationale du Canada

Imprimé au Canada

CLAUDETTE JACQUES

LE MANDALA
Une rencontre avec soi

Découvrir et utiliser le mandala
comme outil de transformation

Le Dauphin Blanc

❦ Table des matières ❦

Cinquième partie

Conclusion

❧ Remerciements ❧

Remerciements et gratitude à l'Univers pour l'abondance sous toutes ses formes.

Remerciements chaleureux à mon conjoint pour sa grande générosité, son encouragement et son amour. Remerciements et tendresse à mes enfants pour leur complicité, leur affection et la confiance qu'ils m'accordent. Remerciements affectueux à mes petits-enfants pour leur adorable transparence qui me permet de goûter un aspect de la beauté et de l'innocence.

Remerciements à mes chères sœurs pour leur dévouement et leur appui. Reconnaissance à ma famille et à ma belle-famille pour leur témoignage d'appréciation. Remerciements sincères à mes amis pour leur écoute et les échanges constructifs.

Reconnaissance à tous les adeptes du mandala pour leur fidélité et leurs témoignages. Reconnaissance et félicitations aux écrivains qui m'ont inspirée, aux créateurs, aux artistes et aux gardiens de la terre qui font de ce monde un lieu d'émerveillement continuel.

Grand merci à tous ces êtres qui sont passés dans ma vie et qui m'ont permis d'être qui je suis!

Sincèrement vôtre,

Claudette Jacques

❧ Avant-propos ❧

Le mandala est un cadeau de l'Univers!

*« La vraie sagesse de la vie consiste
à voir l'extraordinaire dans l'ordinaire. »*

Pearl Buck

*D*epuis dix ans, le mandala est plus accessible. Sa forme circulaire est reproduite ici et là par des artistes qui, sans trop en connaître la symbolique, s'en servent comme modèle. Il semble surgir de partout, comme s'il avait été longtemps en dormance!

Le mandala est utilisé officieusement par les professionnels de la santé. Il fait son entrée dans ce milieu de façon silencieuse et se retrouve dans les mains des psychologues, des psychothérapeutes, des intervenants en différentes disciplines. La « neuropédagogie » considère d'ailleurs le mandala comme un outil par excellence, car il permet de développer une meilleure concentration et une plus grande attention. Ce moyen est donc fort apprécié par les personnes en quête spirituelle, en recherche d'harmonisation ou simplement en développement de leur créativité. Le mandala suscite l'intérêt des petits comme des grands, car chacun y retrouve plaisir, calme et joie.

L'histoire raconte que le mandala serait un héritage des temps lointains et qu'il aurait disparu de la civilisation pendant une très longue période. Cependant, dans son omniprésence, le mandala a toujours été vivant dans l'Univers et partout autour de nous, mais étant donné notre intérêt pour le monde extérieur, le mandala a été soustrait de notre regard, car en nous éloignant de notre propre centre, nous avons oublié le cercle! Oui, le mandala est tombé dans l'oubli. Cela dit, il me plaît de croire que notre conscience s'est éveillée au point que cet outil nous est maintenant rendu afin de faciliter l'accès à notre propre centre.

Certes, le mandala est activé par un acte de foi, car il détient la grandeur que nous lui octroyons. Il peut être protecteur, thérapeutique, magique et évolutif dans la mesure où nous le reconnaissons comme tel. Plus nous expérimentons le mandala, plus nous découvrons notre appartenance à d'autres niveaux de conscience, car, jour après jour, le mandala, telle une interface, nous dévoile notre nature essentielle dans un langage coloré et parfois par de silencieux messages que seuls nos capteurs internes peuvent saisir.

Ce procédé créatif et thérapeutique n'est comparable à aucun autre, car ses bienfaits sont multiples et vont de la peine à la libération, du plaisir à la reconnaissance, d'un état quelconque à la sérénité. Il n'y a jamais d'indifférence, de passivité, d'inconfort et, dès le premier mandala, un changement se produit, aussi petit soit-il. Il confirme qu'un mouvement est amorcé, à l'intérieur comme à l'extérieur, et il ne tient qu'à nous de propulser ce mouvement jusqu'à notre accomplissement final. Étant le langage de l'âme, le mandala tente de nous révéler notre mandat en tant qu'êtres planétaires. Nous sommes venus expérimenter un corps de matière avec une essence issue de la grande âme universelle, ce qui fait de nous des êtres multidimensionnels.

⸙ Introduction ⸙

Le mandala est entré dans ma vie tel un ami longtemps attendu! Même si la peinture et l'écriture comblaient une partie de ma créativité, il y avait toujours ce besoin incessant de trouver d'autres méthodes, d'autres moyens d'expression. Lorsque j'ai connu le mandala en 1995, j'ai su que j'avais trouvé ce que je recherchais, car cet outil réunissait tous les ingrédients nécessaires pour me permettre de m'arrêter, pour demeurer vivante et éveillée à l'intérieur du cercle. J'étais alimentée d'une présence qui cherchait à se révéler.

La vie m'avait initiée, par toutes mes expériences, à avancer malgré le cœur lourd et malgré le plancher qui se dérobait sous mes pas. Ce que je découvrais, c'est qu'en cas de besoin, la vie pouvait me porter ou me donner des ailes. Lorsque j'ai accepté l'invitation d'une amie pour une fin de semaine de créativité, j'ai eu le sentiment de voler et de puiser à la source même de l'inspiration. Même si j'ignorais tout du mandala auparavant, une fois les explications données, dès les premiers dessins, une frénésie montait en moi, tandis que le crayon traçait des lignes avec certitude, comme si je suivais des formes déjà existantes. C'était fascinant et étrange. Une force nouvelle débordait au point de m'entraîner hors du cercle pour donner vie au dragon qui se profilait sous le crayon. J'avais accès à d'autres dimensions, à l'inconscient. Ce monde riche de savoir s'ouvrait à moi, et il se révélait grâce aux formes et aux couleurs. Le mandala m'offrait la possibilité de voyager en moi et au-delà des sphères connues.

Par petites secousses, de jour en jour, le mandala a occupé une place grandissante dans ma vie. D'un état d'ouverture à un état d'éveil, je prenais contact avec les autres dimensions. Mon enfant intérieur me permettait de retrouver ma spontanéité, ma joie de vivre et l'envie de me rapprocher de ma vérité profonde, et mon âme me livrait enfin ses messages. Le mandala a été mon guide qui, par chacun des dessins, tels des itinéraires, orientait ma trajectoire. Il fut mon refuge, mon point d'ancrage et ce qui m'a permis de me retrouver, de m'harmoniser, de m'apprécier en tant qu'être unique. Il fut un témoin, une preuve évidente que la vie a un sens, celui que je souhaite lui donner.

Aujourd'hui, ne pas saisir cette invitation qui m'est offerte d'écrire sur le mandala serait de refuser le juste retour des choses, soit de partager mes expériences et mes découvertes afin de faire connaître le mandala pour qu'il occupe la place qui lui revient. Donc, je me porte volontaire pour traduire, en toute simplicité et à un plus grand nombre de personnes, ce qu'est le mandala.

Mon but est de servir de guide afin de répondre aux questions qui me sont si souvent posées lors des salons du livre ou en atelier. Mon intention est d'être limpide afin de présenter cet outil si complexe et d'en faire un moyen accessible à tous. Le mandala a la propriété d'organiser le chaos. Il serait donc bien dommage de nous priver de cet outil précieux, alors qu'en cette période nous avons tant besoin de cohérence, de paix et de discernement. Puis, lorsque le mandala est dans notre vie, il n'y a plus de solitude, mais davantage de paix. Le mandala œuvre pour nous.

Je vous invite à faire ce voyage dans l'univers des formes et des couleurs d'abord pour votre plaisir ou pour votre mieux-être et surtout pour faire cette rencontre avec votre être essentiel, avec votre moi supérieur.

Première partie

Le mandala

*« Si vous voulez faire l'expérience du tout,
il faut faire l'expérience du vide, du rien. »*

Saint Jean de la Croix

Qu'est-ce que le mandala?

Dans son aspect visuel, le mandala est un diagramme constitué d'un cercle et d'un point où les formes géométriques s'imbriquent les unes dans les autres et forment un dessin symétrique et organisé. Dans une structure plus développée, le point central se prolonge en lignes verticales et horizontales qui contiennent autant de cercles que de carrés. Cette structure sert de support, de point de jonction pour installer le dessin qui s'effectue de façon intuitive et spontanée.

Le mandala offre de multiples possibilités, car dès l'entrée dans le cercle, un effet bénéfique qui élève le taux vibratoire se produit. L'union des deux hémisphères du cerveau se fait. C'est un principe intrinsèque qui permet à la fois d'harmoniser les dualités et d'unifier les contraires. Ainsi, tout en procurant plaisir et harmonie, il est un outil de créativité, de méditation, d'évolution, de transformation.

Le mandala est considéré comme une méditation en couleur qui permet de se recentrer. À la portée de tous, il ne nécessite aucune connaissance particulière, aucune qualité artistique, puisque tout s'effectue dans une spontanéité et exprime l'état où le rationnel n'a pas accès. Le mandala n'est rattaché à aucune religion. Il est considéré comme un concept universel. Il n'appartient à personne. Il se dévoile au fur et à mesure d'une pratique continue. Il est d'abord un moyen qui nous permet de nous reconnaître en tant qu'êtres uniques d'essence divine.

Bien qu'il soit un acte extérieur, il sollicite les différents niveaux de conscience de l'être. Les effets peuvent avoir un impact sur les plans physique, psychique, spirituel autant que sur le plan psychologique. Comme le précise l'éminent psychologue Carl Gustav

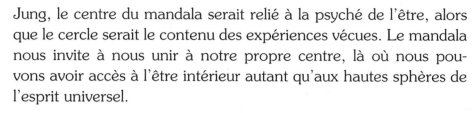

Jung, le centre du mandala serait relié à la psyché de l'être, alors que le cercle serait le contenu des expériences vécues. Le mandala nous invite à nous unir à notre propre centre, là où nous pouvons avoir accès à l'être intérieur autant qu'aux hautes sphères de l'esprit universel.

Le mot *mandala*, même s'il n'évoque aucune résonance pour plusieurs, provient d'une très ancienne langue indienne, le sanskrit. Il signifie « cercle magique, circonférence, sphère ». Le mandala se manifeste partout autour de nous. Il est présent dans toutes les cultures et dans tous les règnes. Il suffit d'observer à quel point la nature offre des formes circulaires pour reconnaître sa présence dans les cristaux, les fleurs, les flocons de neige, les molécules de l'eau, la tranche d'une pomme, le tronc d'un arbre. Nous le retrouvons dans les astres, la Lune, le Soleil, la Terre. Intérieurement l'homme est lui-même un mandala, avec son centre et son champ magnétique. En observant les globules, les cellules, les organes, nous retrouvons de magnifiques mandalas. Il fait partie de nous, car il est omniprésent dans l'Univers.

L'origine du mandala

« Ce n'est pas nous qui sommes dans l'espace,
mais l'espace qui est en nous. »

Lao Tseu

Aucune étude, aussi poussée soit-elle, ne parvient à préciser l'origine du mandala. Même si plusieurs écrits nous ramènent aussi loin que la première explosion, le big bang, l'origine du mandala ne peut être certifiée, même par les érudits. Si, toutefois, il précède la venue de l'homme sur terre, pourrait-il provenir d'une empreinte circulaire inscrite dans les plans invisibles d'abord et ensuite matérialisée pour nous servir de point de départ et de point de retour? La première explosion pourrait-elle être le passage de la vie sur terre? Et le point central où commence toute chose, toute vie, pourrait-il s'être déployé dans ce noyau universel en propulsant des germes de vie, des connaissances ici et là, comme des particules d'or venant des hautes sphères dont nous faisons la découverte tout au long de notre parcours terrestre? Peut-être que tout cela existe dans le but de nous rappeler que l'un contient le tout, comme la cellule contient toutes les informations du corps humain!

Ce que plusieurs écrits révèlent, c'est que le mandala est vieux comme le monde et qu'il date de la préhistoire. Certaines structures et architectures démontrent que, dans de très anciennes civilisations, le mandala aurait servi de matrice pour la construction de villes, de cathédrales, d'édifices de toutes sortes. Il est considéré comme le modèle parfait et refuse de s'inscrire dans l'histoire.

Bien que le mandala n'appartienne à aucune religion, à aucune civilisation, les moines tibétains ont été, en quelque sorte, les gardiens du mandala, car depuis plus de 2 000 ans, il est utilisé comme rituel religieux. Le mandala sert de modèle afin de souligner le côté éphémère des choses, de la vie. Certains adeptes du mandala dessinent devant la porte d'entrée des mandalas, avec du riz ou du sable de couleur, afin d'attirer les bonnes grâces. Le mandala sert de soutien pour méditer ainsi que pour parfaire la connaissance de soi. Ils soulignent l'idée de complétude et d'interdépendance entre le cercle et le point.

Des formes circulaires se retrouvent partout, dans toutes les civilisations, dans toutes les époques : la danse des derviches, les Indiens en cercle, la valse, le cercle de prières, les jardins sacrés, les cercles d'amis, le zodiaque, la roue de médecine, le fœtus, la structure de l'atome, le système solaire, la toile d'araignée, le nid des oiseaux, le rassemblement autour du feu, les repas autour de la table, les notes de musique, dont le son partant du centre résonne en cercles concentriques, les pierres, les cristaux, l'étoile de mer, l'homme de Vitruve, etc.

Ces exemples démontrent que le mandala est un modèle universel que personne ne peut s'approprier, mais dont s'inspirent l'art, la spiritualité, l'évolution de l'homme, les civilisations. Nous retrouvons plusieurs exemples inspirés du mandala, comme le labyrinthe de la cathédrale de Chartres en Europe. Puis, à Stonehenge, en Australie, se trouvent des structures circulaires qui datent de 1 500 avant Jésus-Christ. Dans plusieurs villes d'Europe se trouve un point central orné d'une fontaine ou d'une statue. Cet endroit est appelé *piazza*. Toutes les rues convergent vers ce site. Il s'agit d'un véritable lieu de rencontre où les générations se côtoient et se retrouvent dans cette place conviviale propice aux échanges.

Étant donné que le mandala s'est perdu au fil du temps, l'architecture des villes a pris des formes beaucoup plus linéaires où chacun vit de son côté sans savoir qui est son voisin. Le cœur des villes n'existe plus. L'aspect linéaire se retrouve dans les danses d'aujourd'hui où chacun s'exécute en solo ou dans des danses en ligne. La valse n'a que peu d'attrait pour nos jeunes et encore moins les danses carrées qui symbolisaient la rencontre des générations. Dans la foulée du temps, les traditions se sont perdues, le cercle s'est brisé, le centre a disparu et a délaissé les principes de vies nécessaires pour évoluer en équilibre. Depuis que la religion a perdu bien des adeptes, plusieurs errent sans trop savoir à quoi s'accrocher. Plusieurs de nos jeunes se sentent égarés et recherchent l'unité. C'est sans doute ce qui explique l'envoûtement des échanges sur Internet!

Est-ce pour reformer le cercle que le mandala est présent plus que jamais? Étant à la portée de tous, il est un outil d'unification qui nous incite à refaire en nous l'unité. Une fois unifiés, nous pourrons agir en unité de conscience, recréer le cercle et le centre avec nos familles, nos enfants, nos amis et l'Univers. Le mandala n'a ni commencement ni fin. Il est tel le mouvement perpétuel de l'Univers, il ne peut se perdre, et alors que nous le croyons disparu, il œuvrait en pleine lumière.

Le cercle et le point

« Le sacré n'est pas dans l'objet mais dans le regard. »

Jean Klein, *L'insondable silence*

Par le mandala, nous avons la possibilité d'approfondir deux grands symboles, soit le cercle et le point. Le cercle représente le dénouement de la vie, donc tout ce qui est matière, et le point central représente le soi, l'être intérieur, l'esprit, le non-manifesté. Le cercle est le principe féminin qui représente l'âme, le cœur, et qui crée un effet magnétique, alors que le point, principe masculin, représente l'esprit, l'intellect. Il produit un effet d'électricité. Par ses rayons, le cercle attire, protège et conserve.

Sans même en être conscients, nous recherchons l'unité dans la vie, nous voulons former un couple, fraterniser, nous rassembler, mais tant que nous n'avons pas fait cette union avec nous-mêmes, nous la recherchons à l'extérieur de nous.

La pratique du mandala nous amène à faire cette union avec notre propre centre, et comme nous recherchons la lumière du soleil, des bougies, du feu, nous recherchons inconsciemment notre flamme-lumière, car plus nous nous en rapprochons, plus nous y voyons clair, plus la vie est simplifiée, agréable, car nous allons dans la bonne direction. Plus nous vivons en périphérie de notre être, sans considération pour les besoins intérieurs, plus la vie se complique et devient confuse et chaotique.

Retrouver notre centre permet de tout remettre en place, de prendre la position du maître, de redéfinir nos priorités, de reconnaître ce qui nous est essentiel. Lorsque nous goûtons à la vibration qui émane du centre, qui est puissance, amour et sagesse, alors nous ne voulons plus nous en éloigner, car c'est là que nous sommes plus forts, plus heureux, plus authentiques.

Le point central

Sans le point, il n'y aurait ni commencement, ni fin, ni cercle. Le point est le symbole de l'infini, de l'Univers non manifesté. C'est le noyau cellulaire, l'embryon, le *bindu*, appelé l'œil de Dieu dans certaines religions. Dans le mandala comme dans l'être, c'est là où tout commence, où le point devient forme, où l'être devient essence.

Dans le mandala, le point contient tout notre potentiel. Il s'avère une puissance en devenir et permet de voyager à l'intérieur de nous et bien au-delà. Il est la porte d'entrée et de sortie, car lorsqu'une information entre, une autre sort simultanément. Lorsqu'un message monte, une mémoire se libère, tout comme si une incertitude vient, son contraire suivra, soit un sentiment d'assurance.

Étrangement, le point peut s'avérer le commencement ou la fin selon la façon dont nous l'abordons, tout comme il permet d'accéder à d'autres niveaux de conscience et de traverser d'autres dimensions ou d'atteindre des profondeurs infinies. Par le point central du mandala, tout devient possible. Il donne accès au grand réservoir cosmique, à l'âme universelle où sont contenus des informations, des messages, des mémoires oubliées. S'unir au point central signifie pour l'être de se situer dans la vie, dans un contexte donné. « Je suis cela, apte à savoir qui je suis, où je vais. » L'être, une fois unifié à son centre, peut aller dans toutes les directions sans se perdre. Il sait ce qu'il doit faire, ce qu'il doit éviter, comme ce qu'il doit retenir ou relâcher.

En géométrie sacrée, le point est la rencontre de tous les mondes. Il est la concentration du tout, l'ensemble de toutes les énergies. De façon instinctive, nous sommes portés à nous unir à notre propre centre, tout comme le centre attire les électrons vers le noyau central. Plusieurs s'interrogent afin de savoir où se trouve ce centre. Il peut être à différents endroits. C'est selon la sensation de chacun. Il peut se situer au plexus solaire, sur le plan du troisième œil. Selon mon « ressenti », je le situe sur le plan du cœur, dans le même registre que l'âme. Ainsi, au centre se fait l'union des cœurs, puisque de notre cœur nous pouvons nous unir au cœur universel et au cœur de tous les êtres.

Notons qu'oublier le point dans un mandala pourrait signifier oublier le sens de notre vie.

Le cercle

Le cercle est un espace privilégié, sécurisant, protecteur. Il œuvre en quelque sorte comme le corps qui sert de véhicule à l'âme. C'est l'endroit où l'on peut s'exprimer en toute liberté, où l'on peut relever les défis, comme oser être original, différent, explorateur, innovateur. **Ce que l'on se permet de faire dans le cercle du mandala, on se permet de le faire dans la vie.**

Le cercle nous invite à nous unir au grand cercle universel afin que partout règnent l'harmonie et l'ordre. Pour parfaire cette union, il suffit de nous rappeler que nous sommes un microcosme, une réplique du grand macrocosme, et que ce que nous harmonisons à l'intérieur de nous contribue à l'harmonie dans l'Univers. Si nous avons besoin d'aide pour avancer, pour nous relever, nous ne devons jamais oublier que nous ne sommes pas seuls, car nous sommes tous reliés par le cercle universel. Ce dernier nous donne accès à la grande force qui influence les galaxies, les planètes, les astres.

La protection du cercle est un symbole de complétude que nous recherchons tous de façon inconsciente, surtout lorsque nous nous sentons perdus, isolés, en perte d'identité. Le cercle permet d'accueillir et de déposer à la fois dans le cercle ce qui monte en nous comme ce qui se présente à nous. Il permet de lâcher prise et de vivre pleinement le moment présent ainsi que de retrouver la paix intérieure en nous réconciliant avec la vie, la nature et tous les êtres.

Les caractéristiques du mandala

« Ce n'est pas en regardant la lumière que l'on devient lumineux, mais en plongeant dans son obscurité. »

Carl Gustav Jung

✳ Le mandala offre des heures de loisir et de plaisir. Que l'on soit seul ou avec d'autres, le mandala procure des instants de créativité qui invite l'enfant intérieur à s'exprimer. Peu importe l'âge, jouer avec les formes et les couleurs nous transporte dans un monde de fantaisie, de joie et de créativité.

✳ Le mandala est comparable à une méditation en couleur. Il permet de faire taire le mental, d'écouter la vibration du moment qui traduit en couleur notre état d'âme. Il n'est plus question

d'hier ou de demain, mais de cet instant privilégié qui comble à tous les niveaux.

* Le mandala permet de nous centrer, de nous harmoniser, de nous unifier. Une fois à l'intérieur du cercle, alors que physiquement rien n'est changé, un grand bien-être, une paix nous habitent. L'harmonie s'installe en nous telle une chaude rosée de printemps, sans que nous ayons eu besoin de faire quoi que ce soit d'autre que de colorier.

* Le mandala offre un temps d'introspection. À l'intérieur du cercle, c'est le moment propice pour aller dans les profondeurs de notre être afin de mieux comprendre ce qui se passe. Il peut s'agir d'une peine, d'une peur, d'une incompréhension ou simplement d'une envie de nous approprier notre espace.

* Le mandala permet le contact avec notre être intérieur, avec notre âme. C'est un moment privilégié qui nous permet de nous écouter, de nous pencher pour mieux entendre le doux murmure de notre parole intérieure ou la vibration qui monte comme une confidence.

* À l'intérieur du cercle, tout en coloriant, le mandala permet d'entendre ce que la vie attend de nous, en fait, de découvrir notre vérité profonde, ce que nous sommes venus faire sur cette planète.

* Le mandala est un outil de transformation. Il nous éveille à faire des choix judicieux, non sous l'emprise de la performance ou de la peur de nous tromper. Il nous apprend à reconnaître ce qui est bon pour nous. Le fait de colorier nous incite à la patience, à la cohérence, au discernement.

✳ Le mandala ouvre le cœur et l'esprit. Nous avons la possibilité de nous unir par le cœur au cœur du grand Univers et de tous les êtres vivants. Et l'esprit illimité a la capacité de nous propulser là où s'étend notre foi.

✳ Le mandala nous permet de participer à la totalité de la vie. De reconnaître notre responsabilité envers nous, envers les autres, envers la planète, envers l'Univers. Nous sommes un maillon, aussi petit soit-il, qui se doit d'être à sa pleine capacité, efficace et solidaire.

✳ Le mandala permet de nous reconnaître, de savoir qui nous sommes. Nous centrer permet d'agrandir l'espace intérieur qui contient le nous, alors plus nous devenons authentiques, plus notre individualité surplombe notre personnalité. À l'intérieur du cercle s'exprime la totalité de notre être par l'expression créative.

✳ Le mandala permet de développer une meilleure concentration et une attention particulière à tout ce que nous faisons ainsi qu'à tous les êtres qui se présentent à nous, que ce soit notre conjoint, nos enfants ou notre coiffeur. Développer l'habitude de l'attention conduit à une meilleure compréhension de nous-mêmes, des événements et des autres.

Le mandala nous permet de communiquer avec les autres dimensions, avec les mondes invisibles, par les symboles et les formes que nous reproduisons. Il n'est pas toujours facile de comprendre ce langage, mais plus nous en approfondissons le sens, plus cela prend une signification.

La pratique du mandala

« Le mandala produit une double efficacité : conserver l'ordre psychique, s'il existe déjà, et le rétablir, s'il a disparu. »

Carl Gustav Jung

La pratique du mandala offre plusieurs possibilités selon l'implication et l'ouverture de chacun, car la boîte de Pandore demande à s'ouvrir. Un contenu peut se révéler, mais tout se fait en toute sécurité, par séquence, en son temps et en son heure. L'information se dévoile par un « ressenti », par vibration. Parfois, ce sont des images ou des mots. Parfois, c'est à peine audible. Cela se fait de façon paisible, ce qui permet à la personne d'accueillir ce qui vient selon sa disponibilité et sa capacité à accepter et à organiser le tout. L'acceptation est facilitée par le fait que le mandala, dès qu'il révèle une information, révèle aussi son contraire. Donc, une peine qui monte ne vient jamais seule. Elle contient aussi son contraire, qui peut être une joie, une consolation.

Lors de la pratique, il est préférable de donner congé au mental, car si le juge intérieur se présente, il pourrait tout remettre en question, rationaliser, critiquer le travail exécuté en pleine liberté. Vouloir sélectionner ce qui vient serait aller à l'encontre du principe du mandala qui est de nous exprimer en toute spontanéité en faisant confiance à notre « ressenti » et en étant libres de toutes contraintes, de toute performance, de tout jugement.

Nous donnons beaucoup d'importance aux résultats visuels. Certes, il est réjouissant de faire des mandalas qui éblouissent l'œil, mais si nous donnons la priorité au côté esthétique, il se peut que soient mises en second la spontanéité et la simplicité. Ce besoin de tout faire impeccablement semble être étroitement relié à notre perfectionnisme, alors nous pouvons constater combien mince est notre marge d'erreur. Dans le mandala, il ne peut y avoir d'erreur, car il traduit un état d'âme indiscutable. Il importe de réfléchir à ce fait, soit que si nous avons de la difficulté à nous laisser aller dans le cercle, nous avons une idée des restrictions que nous nous imposons dans la vie! Si nous voulons scier nos barreaux, sortir de nos structures rigides, de nos blocages, de notre paraître, la pratique du mandala nous permet de faire les changements nécessaires pour faciliter le retour à l'intérieur de nous.

Sachez qu'il faut davantage d'humilité, de confiance, de lâcher-prise que de talents ou d'habiletés artistiques, car souvent l'ego veut agir au détriment de l'être qui perd une occasion de se libérer. Mais, lorsque le paraître n'a plus tant d'importance, il est possible alors de nous exprimer dans le mandala en toute simplicité. Pour une fois, nous pouvons oser être nous-mêmes. C'est une expression accompagnée d'un soupir de soulagement que j'entends souvent dans les ateliers. Pour une fois, les gens se donnent le droit d'accueillir sans gêne et sans restriction leurs inspirations, leurs mémoires, leurs blocages.

Le mandala est d'une grande simplicité. L'exercice se complique lorsque nous y ajoutons notre personnalité égocentrique et ce qu'elle comporte de contrôle et d'autorité. Nous pénétrons notre centre par le mandala, nous apprenons sur nous-mêmes et nous avons là une possibilité d'agir en maîtres en nous accueillant tels que nous sommes, et surtout en nous reconnaissant en tant qu'êtres uniques et précieux.

Nous apprenons à observer, à savoir qu'il y a en nous le génie des génies à la lampe magique. Il suffit de nous adresser à lui pour recevoir nos réponses, pour développer la certitude du chemin à suivre et pour obtenir dons, connaissances et qualités. Pour améliorer ce contact et parvenir à une claire audience, nous devons accepter nos aspects sombres, car ils nous préparent en quelque sorte à mieux apprécier les bienfaits de la lumière. Ce qui agit dans nos moments de critique, c'est le message récurrent dont parlent les grands penseurs comme Carl Gustav Jung et Eckart Tolle. Pour sa part, Richard Moss écrit dans son livre *Le mandala de l'être* : « Je ne suis pas suffisamment bien tel que je suis. »

Dans la pratique du mandala, nous avons une occasion d'accepter qui nous sommes en acceptant nos mandalas, en évitant de les qualifier de beaux ou de laids, mais en retenant ce qu'ils ont produit comme effet en nous. Ils ont contribué à nous libérer de nos chaînes, à déblayer le passage pour que grandisse en nous la flamme afin que nous puissions nous reconnaître en pleine lumière.

Chaque fois que nous nous penchons sur un mandala, nous nous rapprochons du nous. Il nous suffit de tendre l'oreille pour entendre l'expression de l'âme par les formes et des couleurs.

En faisant l'exercice de manière intuitive et spontanée, dans un total abandon et sans but, l'ouverture pour accueillir le nouveau se crée, mais aussi pour nous libérer en même temps de ce qui est inutile et désuet. Il peut remonter une information, une inspiration, une grâce, mais, la plupart du temps, c'est à peine perceptible, car les messages montent dans un non-dit et produisent une libération, un relâchement, un dégagement. Souvent, il est même difficile de faire le lien avec la pratique. Parfois, c'est à travers le rêve que nous recevons notre guidance. Parfois, il y a le vide rempli de silence, de paix et d'harmonie.

La pratique du mandala n'agit pas de la même manière pour tout le monde. Certaines personnes ont reçu de grandes révélations tandis que d'autres ont développé une certitude quant à la route à suivre! Plusieurs ont confirmé que la pratique du mandala leur a permis de bénéficier d'une plus grande cohérence et de faire des choix judicieux, d'accomplir des gestes en harmonie avec leur être essentiel. Pour certains, la pratique a permis de découvrir de nouvelles idées, de créer, de voyager, de lire, de s'exprimer, de développer des talents, d'explorer des avenues inconnues ou d'expérimenter un travail nouveau. Le mandala ouvre le chemin pour atteindre ce qui nous tient à cœur, surtout ce qui est en harmonie avec notre chemin de vie.

La pratique nous offre la possibilité d'identifier nos blessures, d'éliminer nos regrets, nos doutes, nos peurs, nos ressentiments, pour en venir à conscientiser et à accepter nos anciennes histoires afin de devenir fluides et sans entrave pour que circule l'énergie. Dans une pratique continue, les changements qui se font sont de plus en plus palpables, identifiables. Nous pourrions dire que l'outil se raffine, se précise avec le temps et l'expérience, car le mandala agit là où il doit agir.

Pour ceux qui sont impatients de voir les résultats venir, qui veulent trop, qui insistent, qui s'attendent à je ne sais quoi, ces attitudes bloquent le processus et freinent l'aspect intuitif nécessaire à la remontée des informations. C'est ce qui explique que, pour certaines personnes, la pratique du mandala s'avère révélatrice alors que, pour d'autres, les bienfaits se situent seulement sur les plans créatif et récréatif. Certes, le mandala n'agit pas de la même manière chez tous les individus, cela dépend de l'ouverture, de la réceptivité, de la disponibilité de chacun. Ce qui est certain, c'est que le mandala crée un mouvement dans les profondeurs de notre

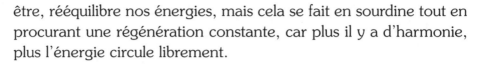

être, rééquilibre nos énergies, mais cela se fait en sourdine tout en procurant une régénération constante, car plus il y a d'harmonie, plus l'énergie circule librement.

Pour les personnes qui ont de la difficulté à méditer, à vivre le moment présent, à lâcher prise, le mandala est tout indiqué, puisqu'il invite l'être à revenir en son centre tout en passant par la créativité. Dans un recueillement qui n'en est pas un, pour celui qui ne veut que s'amuser, il bénéficie tout de même de l'instant présent, avec tous ses attributs, en vivant sa créativité, ici et maintenant. Il profite des effets du mandala qui le maintient dans son centre, l'harmonise, le pacifie.

La pratique du mandala est une bonne façon d'éduquer l'ego qui ne peut se satisfaire de rien et qui se sent à l'étroit dans le moment présent! Lorsque nous habitons pleinement l'instant, dans une constante attention, nous sommes fortifiés par la vibration du centre et rassurés par le cercle protecteur. Notre ego a ainsi de moins en moins d'emprise. Évidemment, si la volonté de bien faire est plus imposante que l'action elle-même, alors l'ego nous entraîne dans une performance qui, au lieu d'apporter harmonie et paix, nous maintient dans un état de comparaison, de performance. Donc, le mandala nous offre une occasion de mettre l'ego au service de l'être et de maîtriser ce cheval de bataille toujours prêt à partir à toute épouvante, sans même connaître la destination.

Lorsque le mandala est dans notre vie, il devient un compagnon intime. Il n'y a plus de moments creux ni de lourdes solitudes ou de tristesses profondes, et s'il en vient, cela ne dure que le temps de nous installer pour colorier notre mandala. La pratique procure un grand bien-être où l'être n'est plus dans l'attente, dans le désir de quelque chose. Il est. Tout simplement.

Ce sont là bien des mots pour exprimer les bienfaits du mandala. Pourtant, rien ne vaut la pratique pour en comprendre le vrai sens et pour accepter qu'il se révèle tout au long de la pratique, selon notre capacité d'en comprendre la grandeur.

Pour ma part, la pratique du mandala a fait grandir en moi, une grande satisfaction et une infinie gratitude pour cet outil et pour les personnes qui m'ont permis de faire cette découverte.

La pratique du mandala m'a travaillée de la surface aux profondeurs de mon être, jusqu'à éveiller le messager intérieur pour qu'à tout moment je me ramène à mon choix initial : suivre la voie de l'être. J'ai eu le choix de ressasser de vieilles blessures ou d'aller vers le nouveau, de prononcer une critique ou de m'en abstenir, d'enseigner aux autres ce que j'avais appris ou de me replier sur moi-même. L'indice qui m'indiquait si j'avais fait le bon choix était que je ressentais une joie profonde, une belle satisfaction.

Évidemment, mes goûts ont changé. J'optais pour le silence plutôt que d'entretenir une discussion inutile, je choisissais de me retirer plutôt que de vouloir avoir raison. Mon caractère s'est amélioré, ma susceptibilité est devenue moins présente et ma sensibilité est plus en équilibre. Ma pensée s'est ajustée grandement et, avec elle, ma parole et mes actes sont devenus plus cohérents. Chaque jour, je me recentre en coloriant le mandala d'intuition. Chaque jour, j'ai le sentiment que quelque chose veut se révéler à moi.

Les changements se sont produits au fil de ces quinze années de pratique, doucement, lentement, sans que je cherche à me perfectionner. J'ai compris où se situait ma paix et c'est ainsi que j'ai produit des centaines de mandalas de toutes sortes. J'ai capté des informations qui m'ont inspirée pour les cartes mandalas et, par la suite, pour les cahiers à colorier. La pratique du mandala a fait de moi un récepteur d'énergie requise pour canaliser tout ce qui m'est nécessaire pour accomplir ce que la vie attend de moi. Encore en ce jour, j'affirme que la pratique du mandala n'a pas de fin, pas de limites. Elle est devenue une priorité dans ma vie.

Le mandala est un allié qui tente d'ouvrir notre esprit, notre âme et notre cœur afin que nous puissions reconnaître l'être universel que nous sommes. Sans notre participation, le mandala ne peut se révéler dans toute sa splendeur, car plus nous chérissons en nous ce symbole universel, plus il s'illumine de mille feux. Tant et aussi longtemps que nous ne pourrons le reconnaître avec nos yeux extérieurs, nous ne pourrons le reconnaître avec nos yeux intérieurs.

En quoi le mandala est-il transformateur?

« Sème une pensée et tu moissonneras une action;
sème une action et tu récolteras une habitude;
sème une habitude et tu récolteras un caractère;
sème un caractère et tu récolteras le destin. »

Alice A. Bailey, *Initiation humaine et solaire*

Étant le prolongement de l'être, d'heure en heure, de jour en jour, le mandala, comme l'être, se transforme, s'exprime différemment. Cependant, personne ne sait à l'avance à quel niveau va travailler le mandala. Cela se fait en son temps, en son heure, en respectant le rythme de chacun. C'est pourquoi il importe d'être attentifs à ce qui se passe en nous, car une mémoire libérée sur le plan physique peut produire un soulagement, des picotements, de la chaleur dans le corps physique, un déblocage du foie, de la rate, du pancréas, des muscles, parfois même des cellules.

Une libération sur le plan spirituel peut déclencher une envie soudaine de faire du bénévolat, de venir en aide aux plus démunis de la planète, d'aller à la rescousse des malheureux. Un déblocage sur le plan mental peut transformer l'image que nous avons de nous-mêmes, peut abolir des limites que nous nous imposions, peut faire tomber le voile des illusions. Sur le plan psychologique, les effets peuvent être incommensurables, comme nous éveiller à nos automatismes, à nos comportements erronés, à nos mauvaises habitudes perpétuées de génération en génération, etc.

Le mandala, par son mouvement centripète, nous ramène vers le centre et apporte de plus en plus de certitude, de lumière, car il nous rapproche de ce point lumineux, de ce diamant intérieur qui contient tout notre potentiel d'évolution. Le mouvement du mandala dispose de la capacité de rééquilibrer les différents aspects de notre être en simplifiant la personnalité, en instruisant l'ego, en étant à l'écoute de l'âme.

Les effets se produisent un peu comme lors d'un jeûne, le corps décide de ce qui doit être épuré : le mandala décide de ce qui doit être libéré. Une fois dans le cercle, l'accord est donné pour une éventuelle remontée. Les mémoires se présentent sans ordre défini, le travail s'effectue et la libération se produit, car le mandala a la propriété d'apporter au conscient ce qui est logé dans l'inconscient. Non seulement il peut libérer des blocages, des mémoires provenant d'une situation récente, mais certaines mémoires très anciennes, archétypales ou en provenance de vies antérieures.

Le mandala éveille la conscience, puisque s'élève le taux vibratoire nous permettant de voir derrière le voile, en nous libérant de vieux paradigmes, en reconsidérant les règles qui nous ont été imposées ainsi que les messages erronés que nous avons enregistrés. Nous éveiller veut dire nous ouvrir à quelque chose de nouveau en commençant par faire le point sur nos croyances, nos obligations, nos concepts. Il n'est jamais trop tard pour nous libérer de ce qui nous empêche d'être nous-mêmes et, par la pratique du mandala, cela se fait de façon sereine et harmonieuse.

Bien que nous soyons encore jeunes dans notre pratique et que nous ayons encore beaucoup à découvrir, en comparaison avec les peuples anciens pour lesquels le mandala était et demeure au cœur des rituels, des pratiques, des offrandes, des cultures, cela ne veut pas dire que ce soit négligeable. Au contraire, chaque pas que nous faisons dans l'exploration du mandala nous fait voir une façon plus consciente de faire, de vivre, de penser.

Carl Gustav Jung écrivit que notre but sur terre était de créer de la conscience; il en est venu à cette constatation après des années de recherches et d'efforts. Par l'exploration du monde de l'inconscient, cet éminent psychologue a développé une nouvelle approche. Il a été le premier à reconnaître l'aspect thérapeutique du mandala et à faire le lien entre le point central et la psyché de l'être. C'est en 1916, alors qu'il faisait chaque matin un dessin dans un cercle, qu'il en est venu à dire : « Mes dessins de mandalas étaient des cryptogrammes sur l'état de mon moi qui m'étaient livrés journellement. Je voyais comment mon moi, c'est-à-dire la totalité de moi-même, était à l'œuvre. »

Il a fait du mandala un outil de travail. Il l'a intégré dans sa vie et auprès de sa clientèle. Il affirmait que le développement personnel ne pouvait se faire autrement que par une approche circulaire. Son expertise a donné au mandala un souffle nouveau. Il est considéré depuis comme un outil thérapeutique et transformateur travaillant sur quatre niveaux de conscience : psychique, psychologique, spirituel et physique.

Le mandala pour trouver notre voie

« Dès l'instant où vous aurez foi en vous-même,
vous saurez comment vivre. »

Johann Wolfgang von Goethe

Le mandala sert souvent de tremplin pour diriger l'être en évolution dans une direction donnée où vers d'autres disciplines, car une fois libéré de ses interdictions qui le maintenaient prisonnier, l'être découvre alors sa pleine capacité d'agir. Ce nouveau potentiel produit à l'intérieur une joie soudaine, une clarté lui offrant un aperçu du grand plan universel et une certitude qu'il en fait partie.

En se laissant guider par la grande intelligence, l'être prend sa place, celle qui lui revient, là où il est attendu. Ainsi, il est propulsé dans la direction souhaitée, souhaitable, il s'oriente vers ce qu'il veut devenir. Désormais, en connexion avec son guide intérieur, il se laisse porter vers sa nouvelle destination.

Ce nouvel état vibratoire incite forcément l'être à faire des changements, il se peut que le travail accompli depuis des années ne convienne plus, qu'il ne soit plus en accord avec certaines habitudes de vie ou qu'il ne soit plus en affinité avec certaines amitiés. En précisant ses priorités, son cercle se referme afin de lui permettre d'assembler ses forces, ses énergies et ses talents pour s'investir dans un sens précis. Plus sa nouvelle vibration se maintient, plus l'être s'approche de sa vérité profonde, plus il attire ce qui se trouve sur la même longueur d'onde, soit un travail plus valorisant, des amis, des partenaires plus appropriés, etc. Il se trouve au bon endroit, au bon moment, car il a découvert son propre rythme!

C'est ainsi qu'œuvre le mouvement de l'Univers. Plus nous avons accès à notre puissance intérieure, plus nous devenons aptes à agir de façon judicieuse et conséquente. La transition peut se faire de façon radicale tout comme cela peut se produire par séquence, mais lorsqu'un secteur de notre vie se rééquilibre, tous les autres secteurs se rééquilibrent aussi. Il ne faudrait pas craindre les retombées de ces changements, car cela ne peut qu'être positif pour notre évolution. Celui qui aspire à développer son côté artistique, ou son besoin de bénévolat, ne souhaite pas seulement le faire, il ne s'agit pas d'un rêve de l'ego, mais d'une force intérieure qui le pousse à s'accomplir en tant qu'être créatif! Il n'a plus vraiment le choix, car s'il freine ce mouvement, il se sentira malheureux en n'étant pas à l'écoute de l'âme.

Trouver notre voie, c'est nous reconnaître, c'est savoir que toutes les routes parcourues ont contribué à nous démontrer qu'il y avait encore des découvertes à faire, des distances à franchir afin d'assembler tous les éléments qui nous composent. C'est cela, le chemin de l'initiation. Tant que nous cherchons, c'est que nous n'avons pas trouvé, cela va de soi. Toutes les expériences vécues nous indiquent que tel domaine ou tel autre n'est pas pour nous, que nous devons continuer, nous laisser guider par nos aspirations jusqu'à ce que nous ayons la certitude de notre but de vie. Le chemin de l'initiation nous apprend à unir le cœur, l'intelligence et la volonté afin que nous puissions vivre comme des enfants de l'Univers, complices avec le grand plan universel!

Le mandala, un symbole d'unité

« Il y a un flux commun, un souffle commun,
toutes choses sont en sympathie. »

Hippocrate

Le cercle du mandala nous rappelle notre alliance, notre parenté avec tous les règnes, avec tous les humains, nos frères. Le cercle de la vie nous unit tous dans une même évolution qui entraîne tout le genre humain à s'élever vers une plus grande compréhension de sa nature véritable. Lorsque l'un de nous s'élève, c'est toute l'humanité qui s'élève. Lorsque l'un de nous découvre sa nature véritable, c'est nous tous qui bénéficions de cette découverte, comme nous profitons des merveilles de ces génies qui ont découvert l'électricité, le téléphone, etc.

Lorsque nous comprenons ce symbole d'unité, la vie n'est plus qu'un mouvement de l'ego, mais elle devient des gestes, des paroles et des actes sensés qui profiteront à tous ainsi qu'aux plus petits d'entre nous et aux générations futures. Ce symbole d'unité nous donne l'ampleur de notre responsabilité envers la vie et envers ce qui nous entoure.

Ce cercle nous ramène au centre de nous-mêmes, à reconnaître notre origine, à nous rappeler notre provenance, notre unité avec la source. En retrouvant notre centre, nous retrouvons la voix de l'être intérieur qui nous permet de vivre notre vie en harmonie et d'occuper tout l'espace voulu, mais toujours en revenant au centre où se trouve notre véritable refuge.

Le mandala nous apprend à faire cette reconnexion avec l'âme, à découvrir l'être infini que nous sommes, notre potentialité, notre grandeur, notre immensité. Nous sommes entourés et guidés par ce cercle d'où émerge une force qui voyage de bas en haut, du centre universel à notre propre centre. Le cercle universel nous alimente telle une bonne mère procurant à chacun de nous une énergie vitale, intelligente, nous incitant à nous reconnaître et à évoluer en toute sécurité dans le bon sens de la vie.

Cependant, une grande partie de notre vie, nous vivons avec la croyance que nous sommes séparés du grand tout. Et, bien que nous soyons convaincus de notre insuffisance à nous accomplir, nous croyons, dans un autre sens, que nous décidons de tout, alors que nous suivons un mouvement involontaire qui nous place souvent dans des impasses afin que nous puissions reconnaître que notre plan de vie est inscrit à l'intérieur de nous.

Le mandala est là pour éveiller notre conscience et pour démontrer que toutes les étapes de notre vie sont influencées par des cercles cosmiques, par des cycles de vie nous faisant passer de l'enfance à l'adolescence, de l'âge adulte à l'âge de la maturité, de la sagesse. C'est sans doute pourquoi nous cherchons à recréer le cercle avec le couple, la famille. Nous avons besoin de prouver notre appartenance à notre ville, à notre province, à notre pays. Nous jouons notre rôle qui, même s'il semble de moindre importance, influence le mouvement de l'Univers.

Le cercle de la vie ne s'interrompt jamais et l'incompréhension que nous en avons nous fait voir la mort comme une finalité, une interruption, une déchirure et non comme la continuité du mouvement qui nous amènera à vivre une autre dimension de la vie. Le moment est venu de savoir que nous faisons partie du grand cercle universel par notre provenance, notre essence. En nous unissant à notre propre centre, nous avons la confirmation de notre infinité, de notre grandeur, de notre immensité puisque par ce même centre nous pouvons communiquer avec le centre des autres univers, puisqu'il en est la porte d'entrée. Cette force produit des énergies intelligentes qui inspirent l'être à évoluer dans la bonne direction jusqu'au cercle de la mort.

Toutes les étapes importantes de notre vie sont influencées par des cercles cosmiques qui conduisent à l'étape suivante, dans un ordre donné. Plus l'être grandit en âge et en savoir, plus le cercle contient des expériences et de la sagesse, plus il s'élève d'une dimension à une autre, ce qui permet de voir que le monde physique est un monde d'illusions et que seule importe la nature véritable de l'être, l'essence de l'âme.

Lorsque nous avançons dans le temps de la vie, et que nous parvenons à lever le voile, nous acceptons en principe le côté éphémère de la vie, car le mandala nous révèle une nouvelle façon de faire! En nous unissant au grand cercle, nous poursuivons le mouvement circulaire. Notre passage ici-bas est donc comme un tour de piste qui, un jour ou l'autre, nous entraînera à explorer les autres dimensions de l'être dans les hautes sphères cosmiques et universelles.

Ce que le mandala nous apprend

*« Si la souffrance contraint à la créativité,
cela ne signifie pas qu'il faille être contraint
à la souffrance pour devenir créatif. »*

Boris Cyrulnik

Le mandala nous apprend à habiter le cercle et à nous familiariser avec le centre par la créativité. Il nous apprend la grandeur de l'être et de la vie en nous ramenant au point central qui demeure un symbole d'unité, de complétude et de perfection, il contient le tout, et tout part de lui. Du point naît le cercle. Ce point de connaissances se prolonge en forme circulaire afin de nous démontrer que tout ce qu'il nous faut est contenu dans le cercle, que notre être essentiel en provenance de l'Univers infini émerge du point pour se réaliser dans le monde physique à l'intérieur du cercle protecteur. Sans le point, le cercle ne peut exister. Sans le cercle, le point devient invisible, sans forme, non manifesté. Telle est notre histoire. Sans la lumière contenue dans le centre, le corps physique serait inanimé, sans vie, sans énergie.

Le mandala précise notre appartenance au monde des énergies subtiles, de hautes intelligences, par ce besoin inné de vouloir nous centrer. Nous venons d'ailleurs, par notre essence, et alors que nous doutons de nos capacités, parce que nous perdons de vue le centre, nous disposons d'un corps physique habité par des milliers de petits soleils intérieurs.

Le mandala nous permet de faire le lien entre le manifesté et le non-manifesté, entre l'un et le multiple, entre le contenu et la forme.

46

Il nous apprend à vivre dans le monde matériel et à y apporter notre lumière. Tous les biens matériels, les situations, les événements de toutes sortes ainsi que les êtres qui nous entourent font partie de notre cercle d'accomplissement. Ils sont là pour nous faire voir la nécessité de nos différences, car sans ces différences, le monde serait sans échange et d'une pesante monotonie. Par le mandala, il nous donne l'exemple de rester unis au centre, de vivre les situations et de voir tous les êtres, avec un regard centré sur le cœur. En demeurant dans cet axe, nous apprenons des autres, nous grandissons avec les autres et nous nous transformons en acceptant qui nous sommes.

Le mandala crée un mouvement intelligent qui nous porte à aller de l'avant, à corriger les angles qui nous rendent inconfortables, sans viser la perfection, car elle est déjà en nous, mais nous incite à développer une meilleure souplesse devant les initiations de la vie. Devenir le roseau, mais aussi un bon danseur capable de faire les sauts et les pas nécessaires pour s'élever en vibration, pour puiser l'énergie nécessaire pour exécuter sa chorégraphie cosmique.

Le mandala nous apprend que plus nous nous approchons du centre, plus notre vie devient lumineuse, car de là jaillit la lumière. C'est un point de repère qui nous informe lorsque nous nous maintenons en périphérie de notre être, que nous sommes à la merci des courants inverses et contraints à vivre des dualités.

Le mandala nous apprend l'attitude à adopter dans la vie. Les moines tibétains qui, pendant des heures et des jours, créent un chef-d'œuvre pour ensuite l'offrir aux vents de l'Univers, nous enseignent le côté éphémère de la forme, mais aussi que ce ne sont pas les résultats qui comptent, mais l'attention portée à l'exécution.

Le mandala peut être perçu comme un rituel, comme un exercice de concentration, de créativité; il est tel un sage enseignant nous donnant un outil. Et chacun doit trouver la façon de l'exploiter et d'en faire un instrument de paix, de joie et d'évolution.

Le mandala nous accueille comme nous sommes, sans besoin de rien prouver, sans besoin de connaissances ou de talents particuliers. Il nous fait cadeau de nous-mêmes en nous permettant de visiter notre lieu secret et de communiquer avec notre âme en toute confidentialité. Il nous apprend à mettre de la douceur dans notre vie, à ne pas nous soucier du passé, de tout ce que nous avons été. En habitant pleinement le moment présent, tout se pacifie, et nous recommençons à vivre en cet instant même qui se vit dans la perfection. Hier et demain s'allègent avec la compréhension que si nous vivons bien chaque instant de notre vie, il ne peut qu'en résulter de la plénitude.

À qui le mandala s'adresse-t-il?

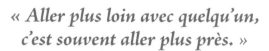

« Aller plus loin avec quelqu'un,
c'est souvent aller plus près. »

Jacques Salomé

Le mandala s'adresse à ceux et celles qui ont le cœur et l'esprit ouverts. Il convient aux personnes qui cherchent un moyen pour développer leur créativité, pour s'amuser, pour apprendre à se centrer. À celles qui ont de la difficulté à méditer, mais qui souhaitent faire ce retour en elles en vivant une méditation en couleur, dans un espace privilégié.

Le mandala est un symbole universel. Il convient à tous. Il peut accompagner l'adulte en quête d'absolu, l'adolescent à la recherche de son identité ou soutenir les plus jeunes qui ont besoin de s'approprier un espace donné. Il est un guide, un soutien pour les personnes en manque de confiance, qui vivent dans le doute ou qui éprouvent toute autre forme de souffrance reliée au corps ou à l'âme. Il peut accompagner le thérapeute autant que la personne en cheminement. Il peut enjoliver l'existence des personnes ayant atteint un âge certain. Il aide les personnes endeuillées, celles qui ont subi des pertes de toutes sortes, les personnes qui vivent différentes situations déstabilisatrices. Il aide les perfectionnistes autant que les personnes brouillonnes à retrouver le centre d'équilibre. Il convient aux malades autant qu'aux personnes bien portantes, aux gens heureux aussi bien qu'aux malheureux, aux personnes créatives aussi bien qu'aux intellectuels, aux handicapés autant qu'aux athlètes.

Il peut être d'un grand secours pour une personne diagnostiquée ou pour ceux et celles qui se préparent au grand voyage. Il offre une occasion de retrouver l'harmonie, à défaut de retrouver la santé, car bien que le corps ait atteint ses limites, l'âme poursuit son cheminement! L'importance du coloriage dans des moments aussi précieux permet d'éliminer la pensée trouble et de s'en remettre au grand plan divin qui ne peut être contrecarré.

Le fait de colorier dans le cercle peut diminuer la douleur physique et psychologique, car la couleur apaise et le cercle harmonise. Le corps reçoit les effets bénéfiques des couleurs appliquées et élève par le fait même le taux vibratoire de l'âme. L'action de colorier permet à la personne de demeurer dans l'instant présent, sans fuir ce qui est et sans fabuler sur ce qui peut advenir; il lui est possible de retrouver la paix et l'harmonie et de préparer de façon optimale son voyage de retour.

Méditer avec le mandala

« Souvenez-vous de vous, toujours et partout,
car le tout est d'être simplement éveillé. »

Swami Ram Dass

Dessiner ou colorier un mandala constitue une méditation qui se fait avec la couleur et les formes. Si nous voulons approfondir cet état, une fois le dessin terminé, nous pouvons placer le dessin mandala bien en vue, nous arrêter, prendre de bonnes respirations, faire le vide si possible et demeurer à l'écoute du « ressenti ». Sans rationaliser, nous accueillons ce qui vient comme des messages de l'âme. Écrire ce qui vient, avec des phrases simples et brèves, permet d'aller plus loin dans la démarche.

Une autre façon serait d'interroger l'âme et de lui demander ce qu'elle veut nous dire. Est-elle souffrante, inquiète, troublée? Pourquoi? Que souhaite-t-elle? Quel message veut-elle nous faire parvenir? Ajoutons nos questions personnelles et soyons réceptifs à ce qui vient, car les réponses se font de façons subtiles et discrètes. La méditation peut se faire en rejoignant tous les sens.

1- Nous pouvons placer les mains devant le mandala pour capter les énergies. Puis, nous laissons monter les sensations, les émotions, les mots, s'il y a lieu.

2- Imaginons les couleurs comme des fruits savoureux ou autres friandises qui aiguiseraient les papilles afin de goûter la couleur.

3- Étant donné que chaque couleur est reliée à une note, pourquoi ne pas faire l'expérience de chanter notre dessin? Il s'agit là d'une expérience unique qui nous amène à dépasser nos limites, à explorer d'autres particularités de notre être.

4- Nous pouvons nous imaginer petits, au centre du mandala, avec la possibilité de parcourir notre mandala où se trouvent des portes de couleurs que nous pouvons ouvrir à notre guise, nous révélant chacune un secret sur nous-mêmes.

5- Expérimentons chaque couleur comme étant une fleur. Respirons l'odeur qui en émane, comme le plus délectable des pranas, et qui nous donne un aperçu des fragrances de notre âme.

Méditer avec le mandala, c'est nous ouvrir à la vie, à tout ce qui passe autour, avec une conscience de la périphérie, mais en demeurant centrés, avec tous nos sens qui se raffinent. La méditation nous apprend à demeurer présents malgré les bruits environnants et à porter attention à ce que nous faisons, disons et pensons, sans être détachés du mouvement autour. Développer notre conscience du centre et de la périphérie nous démontre l'importance d'être centrés afin de ne pas être happés par les futilités de la vie au point d'en oublier les aspects essentiels.

Deuxième partie

Le coloriage

« La vie est un bien perdu pour celui qui ne l'a pas vécue comme il l'aurait voulu. »

David Schomberg

Le coloriage est une invitation lancée à l'enfant intérieur à s'amuser. Colorier dans le seul but de nous faire plaisir est suffisant pour nous offrir la gamme complète des crayons à colorier. En étant des êtres responsables, nous oublions à quel point le jeu est un antidépresseur naturel et d'une grande utilité pour notre équilibre. Ici, le jeu ne comporte aucune compétition, il n'est qu'exécution.

Il m'est très agréable d'entendre des personnes de 40, 50, 60 ou 70 ans me confier qu'elles viennent de se faire le plus beau cadeau en s'achetant des crayons à colorier que leurs parents n'avaient pu leur offrir durant l'enfance. Ce geste signifie qu'elles se rapprochent de leur vérité, de ce besoin réel d'habiter leur propre centre. Peu importe l'âge, l'invitation à faire ce retour en soi est vitale, nécessaire pour retrouver la joie de vivre et la paix intérieure.

La neuropédagogie précise que le coloriage est un acte du cerveau droit et qu'il incite les professeurs à intégrer cet exercice auprès des enfants, mais colorier dans le mandala vient ajouter la notion d'harmonisation qui permet de rééquilibrer les deux hémisphères du cerveau. Alors, en plus de développer la créativité et de bénéficier de l'aspect amusant, le coloriage du mandala calme le mental, procure la paix et la cohérence. Il ne comporte aucun effet secondaire, mis à part l'accoutumance.

Il est dit à plusieurs reprises que la couleur est l'expression du moment. C'est pourquoi le coloriage est toujours unique et différent. Il est impossible de colorier de façon similaire le même dessin mandala, car d'heure en heure des changements se font dans l'être. Quant au début du coloriage, si l'exercice s'effectue de façon intense, avec des couleurs criardes, il est certain que cet aspect va s'atténuer. Si cela persiste après deux ou trois coloriages,

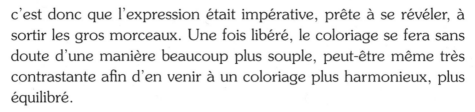

c'est donc que l'expression était impérative, prête à se révéler, à sortir les gros morceaux. Une fois libéré, le coloriage se fera sans doute d'une manière beaucoup plus souple, peut-être même très contrastante afin d'en venir à un coloriage plus harmonieux, plus équilibré.

À plusieurs reprises, j'ai pu comparer les mêmes mandalas, coloriés à plusieurs mois d'intervalle, et ils présentaient des coloriages tout à fait différents. L'être de plus en plus en harmonie exprime d'autres couleurs, et ce, de façon plus détendue. Les teintes se mélangent avec plus de cohérence et l'application est exécutée avec souplesse et certitude.

Certains peuvent associer ces changements à une meilleure dextérité qu'apporte la pratique assidue, mais le changement est plus profond. Il s'agit d'une transformation de l'être qui, une fois libéré d'un blocage, s'exprime de façon authentique et sans retenue.

Les cahiers à colorier sont accessibles

« Il y a des instants magiques qui passent et puis, tout à coup, la main du destin change notre Univers. »

Paolo Coelho

Je ne diminue aucunement l'effet bénéfique de faire notre propre mandala, mais ayant donné des ateliers sur l'initiation du mandala, je sais pertinemment que peu de personnes disposent de suffisamment de temps pour créer leurs propres dessins. C'est ainsi que l'idée m'est venue de dessiner des mandalas pour ceux et celles qui sont pressés, mais qui recherchent des moments de créativité, de mieux-être, de paix et d'harmonie. Les cahiers à colorier ont pour but de permettre à un plus grand nombre de personnes de se familiariser avec le mandala et de découvrir leur propre centre. À l'intérieur du cercle, la danse commence, le point accompagne de façon harmonieuse la personne qui s'exécute et laisse libre cours à des gestes spontanés en couleur.

Pour ceux et celles qui ressentent le besoin de colorier, de se recueillir, de s'apaiser, ils ont à leur portée un cahier à colorier qui leur permettra de plonger de façon instantanée dans cet univers de formes, de symboles, de mystères.

Il m'est souvent demandé comment je parviens à créer les dessins mandalas. En fait, j'exprime ma créativité, mais j'y ajoute une énergie spécifique, alors, pendant des mois, je m'imprègne de ce thème, je développe cette vibration. Comme lorsque j'ai dessiné le cahier de Noël, alors que c'était l'été, j'ai fait jouer de la musique de Noël, j'ai allumé des chandelles rouges, de l'encens à l'odeur de sapin, et je me suis baignée dans cette énergie afin d'y puiser les formes associées à cette vibration. Je me suis laissé habiter corps et âme par cette pensée de Noël. Pour chacun des nouveaux thèmes que je développe, je me nourris de lectures qui portent sur le sujet, je fais mes propres recherches, mais je choisis d'abord un thème qui me sollicite, qui correspond aux messages que je souhaite partager. C'est un mélange de champs d'intérêt auxquels s'ajoutent les préférences et les suggestions recueillies auprès des intéressés que je rencontre aux salons du livre ou en atelier. Habituellement, c'est en concordance avec la voix de l'Univers qui me met sur des pistes et qui orchestre tout afin de me permettre la concrétisation de ces nouvelles créations.

Le travail de conscientisation est traduit dans les cahiers, ce qui permet à la personne qui colorie de profiter de ce processus thématique grâce aux dessins et aux textes. Chaque dessin est fait ensuite avec une structure (proposée uniquement dans les ateliers à cause de sa complexité) motivée par une intention précise et ressentie. Il me serait difficile de mettre en œuvre un sujet qui ne correspond pas à mes expériences, comme l'adoption. Il me faudrait me documenter et vivre comme dans l'attente de ce cadeau avant de me mettre au dessin. Si la demande était imposante, et que je recevais la confirmation qu'il me faut explorer cette avenue, alors je ferais en sorte d'amorcer le processus pour mieux le traduire. Le cahier de la grossesse a été inspiré de mes propres maternités et celui du deuil par tous les deuils que j'ai vécus; les autres thèmes sont basés sur mes propres expériences et sur ce que j'en ai retiré. À tout instant, je demeure disponible pour de nouvelles propositions, je me laisse porter par l'intuition et par ce qui m'apparaît impératif.

Je me sens tel un instrument dans les mains de l'Univers et je fais en sorte de me maintenir à son diapason. Une fois les dessins terminés, ils ne m'appartiennent plus. Je les ai puisés dans l'Univers et je les retourne par les cahiers à colorier.

En recevant des témoignages aussi évocateurs que celui de cette dame atteinte d'un cancer, qui me confie que, grâce au coloriage du cahier de mandalas de guérison, elle n'a pas eu besoin de calmants après une intervention chirurgicale, j'ai l'inspiration et l'obligation de poursuivre mon travail.

Lorsque cette aventure a débuté, ce fut à titre d'essai, mais en voyant la demande, j'ai exploré encore et encore de nouveaux dessins et déjà trois autres thèmes se profilent dans ma pensée avant qu'ils ne soient concrétisés dans la matière. Je suis à l'écoute de tous les signes de la vie.

Les cahiers à colorier : un processus

« L'aventure ne se trouve pas à l'extérieur;
elle est à l'intérieur. »

David Grayson

Le thème développé dans chacun des cahiers permet à ceux et celles qui colorient de s'engager plus en profondeur dans le sujet proposé. Une progression s'établit au fil des textes et des dessins parce que les messages présentent d'un dessin à l'autre de plus en plus de profondeur tandis que les dessins mandalas augmentent en puissance. Le cahier à colorier, comparable à un journal personnel, invite à s'ouvrir de façon sécurisante et sans retenue, car la personne qui colorie habite chaque dessin intimement, ce qui lui permet d'approfondir de plus en plus son intention de découvrir ce qui se passe dans les profondeurs de son être.

Colorier un dessin mandala est apaisant et bénéfique. Cependant, nous impliquer dans une démarche assidue et suivre un processus avec un thème précis multiplient les effets transformateurs. Le mandala est une invitation à faire ce pèlerinage au centre de nous, à prendre conscience que l'espace qui nous sépare de notre grandeur n'est pas un manque de possibilités, mais davantage des pensées erronées qui nous susurrent à l'oreille nos imperfections. Les dessins mandalas ont pour mandat de nous rappeler notre perfection. Ils nous invitent à prendre contact avec l'être essentiel qui nous habite afin que nous puissions ne faire qu'un et nous accomplir en tant qu'êtres uniques et créateurs.

Cependant, ce qui est remarquable dans la plupart des dessins mandalas coloriés que l'on me présente, c'est l'importance de chacun à vouloir bien faire, à ne pas déroger aux consignes. Ces façons dénotent un besoin d'être approuvé, ce qui pourrait être interprété comme un manque d'expression libre. Nous oublions trop souvent qu'en voulant être parfaits, nous nous éloignons de notre perfection et, par le fait même, de notre authenticité! Dans le processus du coloriage qui vise à faire de la place en nous pour tout ce qui nous compose, sans exception, nous avons là, dans la série des dessins, une possibilité d'installer plus de confiance, de certitude et d'abandon pour en venir à être nous, en toute liberté, faisant fi des critères d'évaluation que nous avons vécus toute notre vie.

Par exemple, la personne qui commence le cahier à colorier pour développer l'estime personnelle, lors du premier dessin, y arrive par son choix de couleurs, son affirmation, sa confiance, ses goûts. D'un dessin à l'autre, elle ose, et cela se voit dans l'application des couleurs qui se fait avec plus d'assurance. Elle bénéficie des formes omniprésentes de la structure comme les carrés, les triangles et les cercles qui supportent le dessin et qui lui apportent la stabilité et l'union aux autres dimensions. Tandis que certaines formes permettent de faire le lien avec l'Univers, d'autres invitent à l'enracinement. Sans même qu'elle le réalise, la personne, grâce au mouvement circulaire, est incitée à bouger intérieurement, à explorer, à aller à la rencontre d'elle-même.

Le fait de s'impliquer à plusieurs reprises et de retourner au centre la nourrit de confiance et d'appréciation pour l'être qu'elle découvre, ce qui l'amène à une meilleure acceptation de son être, de sa grandeur, de son essence. Lorsque nous prenons conscience de cet espace sacré en nous, il n'est plus possible de vivre sans considération pour ce joyau qui nous habite.

Une jeune femme désireuse d'être maman me dit qu'elle coloriait le cahier de grossesse pour inviter l'âme d'un enfant à venir s'incarner en elle. Malgré plusieurs techniques, elle n'arrivait pas à devenir enceinte. Elle était persuadée que si elle se préparait mieux à recevoir l'enfant tant désiré, elle pourrait donner la vie. Il était risqué de répondre quoi que ce soit, car je ne voulais pas l'influencer, mais je me suis risquée à lui dire qu'elle devait accepter cette éventualité, si ce n'était pas dans son plan de vie, elle devait s'y soumettre. Elle m'a répondu que oui, elle était prête, mais qu'auparavant elle souhaitait tout tenter. Quelque temps après, j'ai reçu un courriel. Elle était enceinte et tout se passait bien! Était-ce sa foi en ses possibilités ou l'œuvre du mandala qui aurait contribué à une préparation adéquate, comme elle le prétendait? Qui peut savoir? Je sais que le mandala œuvre de façon différente d'une personne à l'autre. Dans ce cas exceptionnel, le mandala a favorisé une attente plus harmonieuse, cela a peut-être suffi pour permettre que s'accomplisse le miracle.

Depuis la parution des cahiers à colorier, j'ai reçu des centaines de témoignages, aussi positifs les uns que les autres, par des personnes endeuillées qui s'en sont sorties avec l'aide du cahier de deuil, d'autres qui m'ont témoigné avoir compris ce qu'était la peur en coloriant le cahier pour transcender les peurs. J'ai reçu plusieurs témoignages des thérapeutes utilisant les cahiers dans leurs rencontres avec des personnes souffrant de troubles psychologiques. Des intervenants auprès des enfants ont apprécié cet outil qui leur permettait de saisir l'expression profonde de l'enfant. Il me faudrait un chapitre pour traduire tous les messages reçus qui précisent les bienfaits des cahiers à colorier.

Les cahiers mandala préparent aux changements. Ils incitent, par notre implication dans le coloriage, à nous incliner devant ce que nous ne pouvons changer, à accepter, à lâcher prise, à faire de notre centre un endroit pour nous pacifier! Il nous invite à régler, à l'intérieur de nous, ce qui nous dérange à l'extérieur, à faire de la place en nous pour nos blessures, nos déséquilibres, nos peurs. Il nous rappelle que c'est au centre que nous sommes les plus forts, les plus aptes à faire la lumière, ce qui nous permet de voir avec les yeux de l'être intérieur, non avec l'ego.

Le processus commence dès que le choix du cahier est défini. Lorsqu'il est soutenu par l'intention de l'achat du cahier, déjà l'ouverture est créée et alors s'amorce la possibilité d'éventuels changements.

Les particularités du cahier à colorier

« Certains voient les choses qui existent et se disent :
" Pourquoi? " Moi, je vois les choses qui n'existent pas
et je me dis : " Pourquoi pas? " »

John F. Kennedy

✳ Le cahier à colorier est comparable à un véritable journal en couleur. Il est invitant et accessible. C'est un refuge où le cercle sécurisant permet de nous confier en toute liberté. Il offre une occasion de renouveler notre intention et s'avère une démarche où, d'un mandala à l'autre, nous nous approchons de nous en libérant dans le centre du mandala nos interdictions, nos blocages et nos peurs pour libérer notre centre et avoir accès à notre vérité profonde.

✳ Il permet de voyager à l'intérieur de nous, sans nous presser, un dessin à la fois. Si tout n'est pas terminé, il n'y a pas de risque, le cahier se fait le gardien et il sera toujours possible de tout reprendre quand le moment sera plus propice.

✳ Il procure le sentiment de suivre un itinéraire où chacun des dessins apporte une autre vision de nous. Colorier un mandala nous conduit forcément à une vision plus claire, plus élevée de nous-mêmes, c'est pourquoi nous en arrivons à aimer nos mandalas, à être satisfaits, même si un dessin semble plus terne, moins à notre ressemblance. Il est facile de comprendre qu'il ne fait que traduire l'état du moment et qu'il fait partie du voyage.

✳ Il permet de vider les tiroirs secrets, car le travail se fait couche par couche, peu à peu, par petites bribes, comme si pour chacun des dessins s'échappaient des morceaux d'une structure profondément ancrée dans des recoins cachés. Une fois que le coloriage devient notre médium d'expression, et que nous parvenons à nous abandonner, à accepter ce qui monte sans restriction, un travail s'effectue et, parfois, une mémoire évacuée peut faire tomber tout un arsenal de défenses.

✳ Tout en évacuant de tristes souvenirs ou des mémoires occultées, une consolation vient simultanément, une acceptation de ce qui est. Un travail libérateur se produit, ce qui peut éviter des années de thérapie.

✳ Il permet, par la répétition du coloriage, de déloger le vieux pour faire peau neuve en créant de nouvelles habitudes. D'un mandala à l'autre, le créateur intérieur se fortifie et prend vie, il veut créer, innover, transformer. Sur le plan du caractère, des changements se produisent du fait que nos choix ne sont plus basés sur des élans de défense. Ils s'avèrent plus conscients. Nous échangeons volontiers nos temps de revendication contre des temps de créativité. Cela nous ramène à nous, au fait que les changements doivent d'abord s'effectuer en nous avant de penser qu'il est possible de changer les autres.

✳ Il permet d'aller au bout de nous-mêmes, de notre colère, de notre timidité, de nos restrictions. L'introspection se poursuit, de fois en fois, un travail d'épuration se fait et crée ainsi plus d'espace pour accueillir la lumière. Aller au bout de nous dans le plan physique nous ramène inévitablement à faire le chemin de retour, au centre de nous-mêmes, pour connaître le plan de l'âme.

Doit-on créer une ambiance avant de colorier?

« Les croyances et les idées ne sont pas seulement les produits de l'esprit, ce sont aussi des êtres d'esprit ayant vie et puissance. Par là, elles peuvent nous posséder. »

Edgar Morin

Un endroit calme est à prévoir et peut-être une musique de fond accompagnée de chandelles et d'encens. Cela demeure toutefois une question bien personnelle. Ce qui demeure un a priori, c'est de nous installer dans une pièce loin des bruits, loin du téléphone et de la télévision, avec une table et une chaise confortable ainsi qu'un bon éclairage. Il faut aussi prévoir un temps de tranquillité, au minimum une heure. Il ne faudrait pas entreprendre le mandala alors que nous sommes préoccupés par la préparation du repas, par l'arrivée prochaine des enfants, par des visiteurs attendus. Il ne faudrait pas non plus devoir nous exécuter dans un laps de temps défini.

Mettre toutes les chances de notre côté en créant des conditions favorables permettra une plus grande tranquillité d'esprit. Avant de commencer, prendre quelques respirations profondes aidera à un meilleur recueillement. C'est une suggestion, car la préparation nécessaire pour tout installer, pour tailler les crayons et sortir les tablettes peut servir de rituel. Si nous le faisons de façon attentive et consciente, c'est une préparation en elle-même. Alors que nous nous réapproprions le matériel nécessaire, nous nous réapproprions nos énergies.

Si nous effectuons un mandala de groupe, où chacun ira mettre sa touche personnelle, il est nécessaire de réserver un endroit retiré, une chandelle plutôt que la musique qui pourrait plaire à l'un, mais indisposer l'autre. L'important est de faire simplement les choses, mais en demeurant conscient de ce qui se passe tout en demeurant centré.

Expérimenter d'autres façons de colorier

« Celui qui s'exerce est lui-même l'objet de l'exercice. »

Émile Durckheim

Bien que chacun dispose d'une manière bien personnelle de colorier, une nouvelle façon de faire peut offrir d'autres possibilités, peut-être même faire jaillir des qualités, comme la patience, l'attention, la souplesse, la détermination, etc. Ces suggestions sont laissées à la discrétion de chacun, mais pour ceux et celles qui veulent tenter l'expérience, voilà de nouvelles façons de colorier qui pourraient créer une nouvelle approche ou de nouvelles habitudes.

✳ Ceux qui ont l'habitude de colorier avec des couleurs intenses, ajoutez des tons pastel et amusez-vous à obtenir un peu de transparence. Coloriez de façon si légère qu'une autre couleur peut se superposer comme si la première couleur était voilée. Cette manière apportera un peu de souplesse, un plaisir nouveau à découvrir les effets des mélanges.

✳ Oser dans le mandala nous incite à oser dans la vie, donc ceux qui suivent religieusement les formes des dessins, osez ajouter d'autres lignes ou, au contraire, ignorez certaines formes, ce qui donnera naissance à de nouveaux dessins. Osez aller au-delà des interdictions, des options proposées dans la vie. Combien de fois n'osons-nous pas demander, revendiquer, par gêne, par peur du refus? Élargissons notre marge d'erreur, si erreur il y a, brisons le perfectionniste dans lequel nous nous emprisonnons au nom de la performance, au détriment de notre créativité.

✻ Il serait bon d'avoir un cahier pour le coloriage habituel et un autre que l'on utiliserait pour d'autres expériences, comme pour ajouter des noms, des mots, des messages. Ensuite, comparez les deux cahiers. Il est certain qu'au fil des dessins, le coloriage va se transformer au point que les dessins finiront par se ressembler. Ce sera la confirmation qu'un changement s'est fait, qu'un blocage s'est libéré, et ce, dans le mandala et à l'intérieur de l'être.

✻ Si vous avez l'habitude de faire des traits marqués autour des formes, comme pour délimiter votre territoire, compartimenter les différents secteurs de votre vie, profitez de l'occasion pour unifier les couleurs de façon à ce que le trait noir soit remplacé par l'union des deux couleurs, ce qui devrait produire un coloriage intéressant et dégradé.

✻ Si vous coloriez de façon très légère, allez-y avec plus de force et de détermination. Il se peut qu'au départ, l'effort soutenu soit exigeant, mais à coup sûr vous obtiendrez un résultat surprenant, peut-être même agréable. Il est possible que cet exercice vous permette de vivre l'opposé, soit un coloriage imposant. Cela dit, en poursuivant, il s'effectuera un équilibre qui permettra d'expérimenter un coloriage varié qui offrira tantôt des parties plus fortes tantôt plus légères. En vivant les deux aspects, ce sera possible de choisir consciemment la meilleure façon de faire pour vous.

✻ Pourquoi ne pas essayer le coloriage de la main opposée? Il s'agit d'une expérience nouvelle qui laisse la parole à l'enfant intérieur.

Ces suggestions permettent de vivre des expériences et de voir à quel point il est possible, en créant de nouvelles habitudes et de nouvelles façons de faire, de découvrir ses forces, de dépasser ses interdictions, d'explorer de nouvelles facettes de soi, et ce, simplement en coloriant.

Suggestions pour un coloriage plus efficace

« Savoir, c'est pouvoir. »

Francis Bacon

❋ Déposez les crayons sur un plateau afin d'avoir un visuel complet de la gamme des couleurs et invitez l'enfant intérieur à faire le choix des teintes, c'est-à-dire allez-y avec votre intuition, sans rationaliser ou remettre en question le pourquoi de vos choix. Le choix des couleurs doit se faire avec aisance et agrément en vous laissant inspirer par les teintes plus invitantes, plus vibrantes.

❋ Choisissez de cinq à sept crayons à colorier, en bois, bien aiguisés, car les crayons de feutre, de cire ou d'aquarelle ne procurent pas l'effet vibratoire que la pointe du crayon de bois procure sur le papier.

❋ Commencez le coloriage par le centre en allant vers la périphérie. Dès que vous choisissez une nouvelle couleur, venez déposer une petite touche de cette couleur, comme s'il s'agissait de plonger votre crayon dans un encrier. Ces petits gestes à répétition ont pour but de vous rendre plus conscient de ce que vous faites et de réaliser que tout se passe au centre, et que c'est par le centre que la couleur prend toute sa force, et c'est là que vous y puisez ses attributs. Si le centre devient plus foncé, c'est l'indice que le travail a été bien fait.

✳ Lisez les pensées qui accompagnent chacun des dessins. Cela satisfait le mental qui l'incite à demeurer en périphérie, à ne pas s'immiscer dans le cercle et à laisser tomber ses défenses.

✳ Il est préférable d'être sans attente et sans but afin d'exécuter le coloriage de façon spontanée et intuitive. S'il y a trop d'exigences, de volonté de « faire beau », cela peut réduire les bienfaits et biaiser l'expérience. L'ego s'impose au détriment de l'expression de l'être.

✳ Si le temps vous manque pour terminer le coloriage, complétez au moins le tiers du dessin afin de bien vous installer dans le mandala. Pour faciliter la reprise de l'exercice, qui peut se terminer quelque temps plus tard, il est suggéré de mettre de côté les crayons utilisés ou de noter leurs numéros pour vous éviter des recherches inutiles.

✳ Terminez un dessin avant d'en commencer un autre. C'est une bonne discipline à adopter qui incite à faire de même dans la vie. Une tâche inachevée, un appel téléphonique non rendu, une histoire non réglée sont autant de situations qui laissent la porte ouverte à des suppositions, à des malentendus, à des interprétations. Terminer un mandala, c'est libérer la forme pour être capable d'accueillir ce qui se cache derrière la forme.

✳ Il faut comprendre que ce que l'on se permet de faire dans le cercle du mandala, on se permet de le faire dans la vie. Il est toujours mieux d'oser, d'innover, de créer de nouvelles formes avec celles déjà existantes, d'ajouter de nouvelles lignes ou, si vous préférez, d'ignorer certains détails ou d'en ajouter d'autres. Personne n'est tenu de suivre les lignes du dessin! En changeant quelques traits, en y ajoutant ses propres couleurs ainsi qu'une touche personnelle, le dessin deviendra une œuvre personnalisée. Vous pouvez même y inscrire un message, un nom, un lieu, changer le titre, faire une dédicace, etc. Tout est possible à l'intérieur du cercle, il faut se le rappeler, comme dans la vie.

❋ Identifier comment on se sent avant et après le coloriage va contribuer à faciliter la lecture du mandala. Un simple mot peut suffire : *fatigué*, *nerveux*, *triste*, *sans entrain*, *enjoué*, *excité*, etc.

❋ Inscrire la date du coloriage peut devenir un indice important dans la lecture, car, souvent, un message est amorcé dans un dessin et se prolonge dans d'autres dessins. Notez l'ordre de l'exécution, surtout si les dessins sont détachés du cahier. J'ai remarqué à plusieurs reprises que le début du cahier présentait des couleurs vives, imposantes. Puis, d'un dessin à l'autre, la tension des premiers dessins s'estompe pour faire place à des couleurs plus légères ou aux mêmes couleurs vives mais appliquées avec plus d'aisance et de souplesse. Il y a un tempo qui s'installe à notre insu, un rythme qui offre des notes plus rondes, des croches et des silences qui sont contenus dans ces espaces plus pâles ou sans couleur. Si se poursuit l'analogie, couleurs et notes pourraient nous offrir la possibilité de chanter nos mandalas. Ce serait sans doute une merveilleuse expérience.

❋ Les formes « prédessinées » offrent un appui et incitent à voyager dans le cercle. Au même titre qu'il est agréable d'écouter de la belle musique ou d'admirer une œuvre magistrale sans que nous ayons eu besoin de la créer, les dessins mandalas invitent chacun à personnaliser ses formes par ses couleurs préférées.

✳ Le mandala est une invitation répétée à nous choisir et à nous choisir à nouveau. Chaque fois que nous prenons du temps pour nous ressourcer, nous faisons un geste d'amour, de reconnaissance envers nous-mêmes. Plus nous avons d'amour, plus nous pouvons en donner, plus nous pouvons faire des choix judicieux, et ce, en respectant l'être divin qui nous habite.

✳ Il donne un sens nouveau à la vie, il devient une référence, une présence apte à nous accueillir tels que nous sommes, et ce, à toute heure du jour ou de la nuit, si nous nous sentons seuls, égarés, tristes, apeurés. Tel un confident, il nous permet, dans le cercle, par les couleurs, de nous libérer d'un rêve récurrent, d'un mauvais goût provenant du passé, d'une pensée envahissante, d'une mauvaise nouvelle, d'un mal à l'âme. Le chemin d'un mandala à l'autre nous ramène à l'essentiel, à nous-mêmes.

✳ Il permet d'expérimenter les formes, les symboles qui se trouvent en nous, dans nos organes, nos cellules, nos glandes, nos globules, notre cerceau, etc. En appliquant les couleurs dans les dessins mandalas, c'est notre être tout entier qui en bénéficie, car les couleurs se répercutent aussi en nous. Plus nous colorions, plus nous prenons soin de ces parties en nous qui ont besoin de reconnaissance, de respect, d'amour.

✳ Il nous rappelle de jour en jour l'importance de cet outil transformateur qui nous apprend à demeurer en équilibre et en amour avec l'être que nous sommes. En coloriant, nous voyons le lien, tel un fil d'Ariane, qui nous unit les uns aux autres. En vivant plus d'harmonie, nous posons un regard plus conciliant sur les autres et réalisons qu'ils nous servent de miroir.

✳ Le mandala nous permet d'établir une intimité de plus en plus profonde avec notre être intérieur, car chaque dessin mandala nous permet de mieux entendre la voix de l'âme. Plus nous communiquons avec nos profondeurs, plus il nous est possible d'élever notre compréhension de la vie et des mondes subtils. Lorsque l'écoute se raffine, il est possible d'entendre la voix du silence.

✳ Il permet de placer notre foi dans le « je suis » et de développer la certitude de notre provenance. Chaque mandala que nous colorons solidifie notre conviction quant à notre véritable nature.

À éviter lors du coloriage

« Nos plus grands moments
sont nos heures les plus calmes. »

Friedrich Neitzche

Il m'est arrivé de voir des participantes, par peur d'avoir des résultats médiocres, utiliser une feuille de papier comme brouillon pour s'assurer que les couleurs s'harmonisaient bien entre elles. Cette façon de faire va à l'encontre de la spontanéité souhaitée et laisse entrer le doute et la peur de se tromper. Dans le coloriage, il n'y a pas d'erreur possible, car il s'agit d'une expression personnelle, de traduction d'un sentiment, d'une émotion, etc. Le coloriage offre l'occasion de développer son intuition, sa spontanéité. Vouloir « faire beau » est le piège de l'ego qui emprisonne l'expression de l'être véritable.

* Avant de colorier, si la tension est trop grande, il serait préférable de faire le mandala d'intuition, celui qui se trouve à la fin de chaque cahier. Il s'avère une bonne préparation qui permettra de faire un coloriage de façon plus détendue.

* Le mandala nous accueille comme nous sommes, avec nos doutes, nos colères, nos faiblesses. C'est donc le moment de faire de la place en nous pour ces états qui demandent à être entendus, respectés, accueillis. Plus nous leur faisons de la place en nous, autrement dit, plus nous laissons libre cours à notre authenticité dans notre dessin, plus nous pourrons comprendre nos comportements, nos attitudes, épurer nos blessures et transcender nos peurs.

Doit-on retoucher un mandala?

« Il n'y a pas d'échec, il n'y a que des résultats différents. »
Anthony Robbins

Rien n'interdit de retoucher un mandala. Ce qu'il faut comprendre, c'est la raison qui motive ce geste. Est-ce parce que nous avons manqué de temps pour terminer? Est-ce parce que nous sommes insatisfaits des résultats? Si c'est le cas, il faut reconnaître qu'il s'agit bien de l'insatisfaction de l'ego, alors que nous recherchons l'expression de l'âme!

Si nous regardons notre mandala en y voyant un manque d'habileté, au lieu d'y voir un message intérieur, c'est que le centre

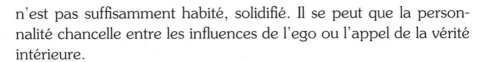

n'est pas suffisamment habité, solidifié. Il se peut que la personnalité chancelle entre les influences de l'ego ou l'appel de la vérité intérieure.

Certains diront que l'âme veut de la beauté. C'est vrai, mais elle désire aussi de l'authenticité. Chacun doit donc savoir si la mesure que nous ajoutons est nécessaire ou si nous refusons l'évidence d'un trop grand perfectionnisme. Si, par exemple, un écrivain voulait écrire comme tel autre devenu très populaire, il pourrait se perdre dans l'ombre de l'autre, car il s'éloignerait de son essence d'écrivain dans le but d'être populaire. Il ignore que son talent dispose d'autant de grandeur, même s'il n'est pas reconnu.

Vouloir retoucher un premier jet pourrait signifier que nous refusons d'entendre les messages de l'âme. Accepter un mandala qui nous plaît plus ou moins, c'est prendre le risque d'être évalués, critiqués par les autres. S'il nous était possible de voir dans les commentaires une occasion de grandir dans l'estime personnelle et d'accepter qui nous sommes, en présentant un dessin que nous jugeons « ordinaire » sans vouloir nous justifier ou nous expliquer, cela serait très profitable pour nous. Accepter d'être imparfaits aux yeux des autres est l'indice que nous sommes sur la voie de l'évolution, car nous sommes déjà des êtres parfaits tels que nous sommes!

Lorsque nous considérons nos mandalas comme non convenables, c'est que nous voudrions être autrement, posséder d'autres talents que les nôtres. Nous oublions que l'expérience en cours nous est profitable, même si cela ne répond pas aux critères de perfection que nous souhaiterions atteindre! Rien ne prouve que ce mandala dit ordinaire ne soit pas porteur d'un message grandiose. Il faut savoir lire entre les lignes, entre les formes et les couleurs pour nous rappeler qu'un mandala n'est ni beau ni laid. Il est l'expression de l'âme.

D'un jour à l'autre, nous changeons, et nos mandalas se transforment. Comme nous faisons l'expérience de la matière, les ombres et la lumière font aussi partie de la vie. Chaque mandala contient sa beauté, sa perfection, son message. Alors, qui pourrait le considérer comme incorrect, mis à part le juge intérieur?

Conseils pratiques

« Le présent est une puissante divinité. »

Johann Wolfgang von Goethe

✱ Le mandala est constitué d'un cercle et d'un point avec une structure sur laquelle est installé le dessin. Oublier le point central dans le mandala pourrait signifier que nous oublions le but de notre vie.

✱ Dessiner ou colorier un mandala est un accomplissement complet. En faire la lecture est un plus, mais ce n'est pas indispensable, car le mandala agit là où il doit agir. Il se révèle dans le non-dit.

✱ Le mandala est un outil à utiliser dans les temps de réjouissance comme dans les temps de noirceur, dans des périodes de fragilité ou de grande force. Il est à la portée de tous et pour toutes les occasions.

✱ Vouloir « faire beau » est chose normale, mais vouloir satisfaire l'ego est chose impossible. La pratique du mandala nous offre l'occasion d'accepter ce qui est, de vivre notre spontanéité, d'exprimer notre vibration intérieure et d'éduquer l'ego qui doit occuper la place qui lui revient, non celle du maître intérieur.

✳ Ce que nous nous permettons de faire dans le cercle, nous nous permettons de le faire dans la vie. Être nous-mêmes dans le mandala, c'est pratiquer l'authenticité dans notre vie.

✳ Si possible, être sans attente est un bel exercice qui nous enseigne la position à adopter dans la vie.

✳ Agir sans se soucier des résultats, sans attendre de confirmation ou de compliments, c'est une véritable attitude de sagesse, de maturité.

✳ Pas besoin de grands préparatifs, car le mandala nous accueille tels que nous sommes, peu importe notre état, notre caractère, notre vibration. Pour chacun, il opère différemment.

✳ Le mandala est aussi appelé cercle magique, c'est donc qu'il nous permet de mettre de la magie dans notre vie en élevant notre taux vibratoire. Nous pouvons ainsi voir au-delà des limites et des apparences. C'est un grand tour de magie à pratiquer.

✳ La pratique du mandala nous maintient dans le moment présent, alors le poids du passé s'atténue et le futur reprend sa place dans l'avenir. Ainsi, la présence peut se manifester.

✳ Chacun de nous est un mandala vivant qui nous rappelle que nous sommes tous dans une même quête de bonheur, d'accomplissement, d'éveil, sur une même planète qui réclame notre participation. Nous sommes tous responsables les uns des autres, et si la planète est souffrante, nous subissons les effets d'une façon ou d'une autre. Plus il y aura d'harmonie en nous, plus les êtres et la Terre seront harmonieux.

✳ En tant que mandalas vivants, nous sommes concernés et responsables de ce qui se passe autour de nous et en nous. La physique quantique nous démontre que par notre simple regard, nous pouvons changer les molécules de l'eau, alors nous devons prendre conscience jusqu'où vont notre responsabilité et notre pouvoir.

Troisième partie

Les couleurs et les formes

L'importance de la couleur

« Une vie sans gaieté est une lampe sans huile. »
Walter Scott

Pourrions-nous imaginer le monde sans couleur? Que nous le voulions ou non, que nous en soyons conscients ou non, la couleur produit une influence considérable sur nous! Partout autour de nous, la couleur nous attire, nous stimule ou nous repousse. Peu importe l'objet, la couleur crée un impact avant même que nous ayons pris connaissance de la forme qu'elle revêt : le bleu du ciel nous apaise, peu importe l'idée de la profondeur, et le turquoise de la mer nous est bénéfique, sans aucune nécessité d'en connaître les propriétés! Sans aucun doute, la couleur se propage en nous aussi intensément que le font les rayons du soleil.

Les couleurs résonnent différemment selon nos goûts et nos besoins. Ce n'est pas sans raison qu'une personne recherche des vêtements aux couleurs vives, alors qu'une autre ne se vêt que de noir! Alors que certaines personnes ressentent la nécessité de s'entourer de meubles aux couleurs épurées, d'autres préfèrent l'opulence d'ornements dorés des mobiliers antiques! Nos choix de couleurs ne sont pas qu'une question d'esthétique, mais un besoin de l'âme qui tente de s'exprimer par la vibration des couleurs.

Quelle est ma couleur aujourd'hui? La chromothérapie démontre l'efficacité des couleurs sur les plans physique, psychologique, psychologique. Selon cette étude, la couleur serait captée par l'œil pour ensuite transmettre l'information au cerveau qui, à son tour, divulguerait, à tous nos systèmes, à nos organes, à nos cellules ainsi qu'à notre âme, la vibration des couleurs. Nos besoins de couleurs changent selon nos états intérieurs. Parfois, il nous faut l'intensité du rouge pour nous motiver. En d'autres temps, nous avons besoin de la brillance du jaune pour éveiller notre esprit ou du vert pour nous réconforter et nous soutenir. Incontestablement, nos besoins influencent fortement nos choix de couleurs! Un lever ou un coucher de soleil ne laisse personne indifférent, car en quelques minutes, nous profitons de tout un éventail de rouge, de jaune, d'orange, de mauve, de turquoise. Il est fort probable que cela soit en relation avec notre besoin de lumière. Et la nature, avec ses teintes verdoyantes, nous apporte l'espoir et la certitude que nous n'avons pas à nous inquiéter, que tout recommence à chacun des printemps.

Le fait d'être en affinité avec certaines couleurs nous porte à nous entourer de ces couleurs comme autant de similitudes nous rappelant les couleurs qui nous habitent. C'est pourquoi, indépendamment des courants populaires ou de la mode, il y a des couleurs qui nous ressemblent, qui nous accompagnent toute notre vie; elles font partie de nous, de notre vibration, de notre essence. Bien que la couleur possède un caractère universel, elle peut être vécue et interprétée différemment par chacun d'entre nous. La couleur demeure, selon Carl Gustav Jung, l'expression de la pensée, du sentiment, de l'intuition et des sensations.

Comme il est démontré que le prisme décompose la lumière blanche en un faisceau d'ondes lumineuses, et que l'homme lui-même est un cristal humain, incontestablement, les couleurs se retrouvent en chacun de nous. C'est sans doute pourquoi nous avons des affinités avec la couleur! Les couleurs nous servent à bien des niveaux. En plus d'égayer notre vie, elles nous aident à voyager sur les différents plans de notre être, elles nous permettent de communiquer avec notre âme et nous servent ensuite de véhicules pour retrouver l'unité de la lumière blanche, de notre diamant personnel.

Ainsi, la couleur, en plus de nous procurer des effets bénéfiques, aurait pour fonction de nous ramener au centre du nous, tout comme le principe du mandala! C'est pourquoi il est conseillé de commencer le coloriage du mandala par le point central et d'y revenir avec chaque nouvelle couleur, car c'est par le centre qu'il est possible de retrouver la source même de la couleur et de voyager dans toutes les directions du mandala jusqu'à la périphérie ainsi que dans les dimensions visibles et invisibles.

En coloriant, nous invitons la couleur à prendre place dans notre vie! En lui accordant notre attention, elle nous révèle, tel un livre d'histoires, ce qu'il nous faut apprendre sur nous, sur les êtres, sur la nature et sur l'Univers.

Témoignage de Guylaine

Cette jeune femme a colorié le mandala de l'amour maternel dans le cahier de grossesse. Elle nous livre ici un beau témoignage et nous présente un mandala colorié de façon vibrante et d'une belle transparence.

MANDALA MATERNITÉ
L'amour maternel

Lorsque j'arrivai à la librairie pour choisir mes cahiers, j'ai aussitôt remis celui-ci à sa place à cause du thème de la maternité, étant persuadée que ce n'était pas pour moi puisque je n'avais pas eu d'enfants. Mais un élan aussi fort m'a poussé à le reprendre et à l'ouvrir pour me retrouver happée par cette énergie d'amour et de bonté dans laquelle je baignais littéralement. Je ne peux expliquer pourquoi, pas plus que je ne peux nier ce qui s'est passé. Cela a fait vibrer en moi quelque chose qui sommeillait depuis fort longtemps.

L'amour maternel est le 7ᵉ mandala que je coloriais. Lorsque je l'ai entrepris, j'appréhendais quelque peu l'issue de cette réalisation mais je décidai d'y plonger de façon spontanée et de me laisser guider par ce qui surviendrait en cours de processus.

Quel voyage ce fut et que de découvertes ai-je faites sur ma capacité à recevoir et à prendre soin de moi et de ceux qui m'entourent! J'ignorais que je possédais cette douceur, cette rondeur, cette gaieté et ce désir de se rencontrer, soi et les autres.

Lorsque que je l'eus terminé, je le rangeai afin de donner le temps aux émotions de prendre leur place, tout en me promettant d'y revenir ultérieurement. Lorsque je fus prête, force est de constater que j'étais aussi émue que lorsque j'y avais déposé le dernier coup de crayon.

Aujourd'hui, quatre mois plus tard, lorsque je le regarde à nouveau et que je m'y replonge, je me reconnecte encore à cette sérénité qui m'habite et me nourrit, avec ce ravissement aussi intense que lors de sa réalisation. Je retrouve ce même bonheur et cette joie vibrante créés par l'ouverture lorsque je me laisse délicieusement bercer sur les flots de cette mouvance créatrice dans toute son ampleur. J'en ressens encore les bienfaits, et ce qui est encore plus fabuleux, c'est de constater l'impact positif que cela génère aussi autour de moi.

Faisons donc place à nos connaissances silencieuses à travers notre créativité et laissons s'exprimer librement tout ce que nous nous efforçons de taire. C'est le plus *merveilleux cadeau que l'on puisse s'offrir, simplement en laissant être ce qui a toujours été. Maintenant, je vous dis à vos couleurs car vous avez rendez-vous avec quelqu'un d'exceptionnel : vous-même!*

Exemple

Une personne endeuillée, qui s'adonne au coloriage du mandala, voit peu à peu sa peine diminuer, s'alléger, car dès les premiers coloriages, une paix s'installe et est entrecoupée de mémoires douloureuses de la séparation. À l'intérieur du cercle protecteur, elle est en mesure d'accueillir cette souffrance, car en même temps lui vient la contrepartie qui est la compréhension et l'acceptation de l'expérience en cours. Ce n'est pas miraculeux, c'est un principe du mandala d'harmoniser les dualités et d'unifier les contraires. En appliquant les couleurs, elle bénéficie de leurs bienfaits, ce qui soulage son être tout entier, la maintenant dans un espoir de survivre d'abord et de renaître à nouveau.

La pratique du mandala est salutaire dans des moments aussi tragiques, car comme l'explique Eckart Tolle dans *Le pouvoir du moment présent*, le corps de souffrance est si lourd qu'aucune consolation ne parvient à la personne en deuil, donc rien ne peut la rejoindre de l'extérieur. Bien qu'elle soit entourée de personnes compatissantes, toutes les preuves d'amour, d'amitié et les mots de consolation n'arrivent pas à traverser ce corps de souffrance, qui est plein à rebord de peine, de chagrin. Alors, le mandala s'avère un véritable baume, car il agit là où il doit agir, au cœur même de l'être, là où la souffrance est insupportable.

Autant la personne en deuil voit son avenir en noir et avec la terrible réalité que « plus jamais je ne pourrai revoir l'autre, plus jamais… » lui vient alors par intermittence une clarté éblouissante à l'idée qu'il y a peut-être un autre soleil. C'est vers cette lumière que l'être cher est parti, il n'est pas dans la noirceur et mon amour peut toujours le rejoindre.

Tout au long de la pratique, le mouvement l'entraîne à vivre sa souffrance, et à accepter que derrière toute initiation, il y a une récompense. Ce message ne lui parvient pas de façon aussi précise, mais le mandala la soutient dans ce nouveau départ en solitaire, l'aide à reprendre son rythme, même si le cœur n'est pas complètement guéri. Le deuil lui a permis de revenir en son centre, de trouver la force nécessaire pour surmonter l'événement et de s'enrichir d'un nouveau potentiel qui l'amènera ailleurs, dans un présent qu'elle ne pouvait soupçonner auparavant. Elle trouvera sans doute la liberté d'être. C'est le cadeau que nous réserve une démarche intérieure.

Le corps de souffrance est le corps émotionnel qui accumule la souffrance et qui en vient à être très présent et réel, exigeant d'autres souffrances, car c'est une façon de se sentir en vie. Certaines personnes iront jusqu'à provoquer des situations de rejets, ou autres, pour nourrir ce corps avide de souffrance.

Les couleurs et leurs attributs

« Je n'ai point prétendu vous apprendre quelque chose,
mais seulement vous inviter à penser,
à douter, à chercher. »

Un maître tibétain

Cette gamme de couleurs est le résultat de recherches faites ici et là, incluant une touche personnelle, où je me suis amusée, à l'intérieur du cercle du mandala, à activer chaque couleur au centre par petits gestes répétitifs afin de capter ce que la couleur pouvait me révéler. À la charte habituelle s'inscrit donc ma propre expertise. J'espère que cela pourra servir à d'autres et les inciter à faire de même, car il est possible que les couleurs aient un message particulier pour chacun d'entre nous.

Il est utile et intéressant d'utiliser la signification des couleurs qui suit pour mieux nous aider à saisir les messages de l'inconscient. Toutefois, il faut prendre en considération que les couleurs, même si elles offrent une base générale, ne présentent pas la même signification pour tout le monde. En plus, la même couleur peut avoir des significations différentes pour la même personne, selon les jours, selon les expériences vécues. Il est souhaitable d'accueillir ces informations avec souplesse et discernement.

ROUGE

Couleur primaire, symbole du feu. Cette couleur indique un grand dynamisme, une vie mouvementée, un pouvoir imposant, dénote l'expression d'une vitalité intense, d'une belle force vitale, d'une être capable d'exprimer un amour passionné. C'est aussi la couleur du courageux guerrier, de celui qui vit avec une grande assurance en ses moyens. C'est celui qui ose, qui initie, qui explore. C'est relié à un tempérament de feu, à des êtres extravertis, aux travailleurs tenaces, aux grands explorateurs.

Cette couleur est associée aux sciences cosmiques, aux pouvoirs magiques, à la clé de la connaissance, à la beauté, à la force, à la jeunesse, à la santé, au triomphe, à la combativité, à la réussite, à la transformation, à l'expansion. C'est la couleur des aristocrates avec leurs habits royaux, donc à la noblesse. Couleur éclatante de vie, tonifiante, elle est associée aux révolutionnaires, aux pionniers, aux ambitieux, aux impulsifs, aux impatients, aux insatisfaits. Peut représenter la rage, la colère, l'irritation, l'excitation.

C'est la couleur du chakra racine relié au corps physique, à l'incarnation, à l'enracinement. Elle est associée à la terre.

ROSE

Cette couleur est un dégradé du rouge, symbolise l'amour universel, désintéressé, l'affection, la non passion, l'instinct maternel, la féminité, la douceur, la santé, l'abondance. Désigne une personne compatissante, d'une grande sympathie pour autrui, optimiste, qui voit la vie en rose. Cette couleur favorise le sommeil, la détente, la santé et l'abondance, et peut exprimer un besoin de protection, d'affection, de sécurité, ou l'indice d'un malaise intérieur, inconscient, d'un stress. Le rose ombragé pourrait dénoter un manque de jugement, de discernement, de maturité.

Le rose pâle est un gage de bonheur, d'amour, peut indiquer l'appel ou l'approche d'une relation amoureuse. Ce serait en rapport avec une aptitude de « clairaudience », une capacité à communiquer avec le monde invisible.

ORANGE (JAUNE ET ROUGE)

Couleur luxuriante, l'orangé démontre une nature débordante, exubérante, extravertie, des aptitudes créatives et artistiques. C'est l'indice d'une belle sexualité, d'une personne équilibrée dans ses corps, franche, bonne, généreuse, qui possède une grande force de caractère. Cette couleur convient aux personnes qui ont la joie au cœur. Couleur de jeunesse, de persévérance, de chaleur, d'ouverture, d'expansion, de fertilité, de maturité, de sécurité, de confort, de richesse, d'assimilation, de bon jugement.

C'est la perle orangée qui fait jaillir de l'horizon la pure lumière, l'éblouissement, le ravissement, le commencement d'une action, c'est l'or à la portée de la main. Couleur énergisante, stimulante, elle est recommandée dans les moments de doute, de tristesse, de négativité, car elle favorise les solutions, l'éveil des sens, et permet de prendre conscience de ses émotions. C'est la couleur associée aux dégustateurs, aux plaisirs, aux désirs, à l'énergie, à l'opulence, à la force vitale ainsi qu'au corps émotionnel.

Dans l'aspect négatif, elle pourrait signifier l'indolence, la luxure, l'insensibilité, l'irresponsabilité, le dominateur, l'extravagant, le vaniteux, le têtu. Reliée au chakra sacré, l'orange est associé à l'énergie.

JAUNE OCRE

Cette couleur indique que l'énergie circule bien et la joie est au rendez-vous. Cette couleur est associée à la brillance, à la jeunesse, à l'être volontaire, à l'éveil spirituel, au pouvoir de l'esprit, à l'union avec le tout. Symbolise une personne créative, artistique, musicienne, ingénieuse, qui possède un puissant caractère. Elle est en relation avec le soi, le merveilleux, la fluidité, la vie en expansion. Couleur reliée à l'opulence, à tout ce qui est grandiose.

JAUNE

Couleur primaire. Cette couleur est difficile à contenir, comme le soleil du midi. Le jaune indique un esprit vif, ouvert, perspicace, qui a autorité sur lui-même, un être diligent aux idées vibrantes, lucides. Cette couleur est associée aux scientifiques, au renouveau, à l'or, à la richesse, à la jeunesse, à l'harmonie, à la quiétude. Elle est un symbole de bonheur, de sagesse profonde, de la maîtrise de soi, d'une personne introvertie, juste, charismatique. Cette couleur est en relation avec les êtres de lumière, avec les personnes sincères, sereines, autonomes, conscientes et aptes à recevoir des révélations. C'est souvent l'expression d'un besoin de liberté, de la quête du nouveau, de la plénitude. Cette couleur est en relation avec l'activité mentale, le système digestif, les sentiments.

Le jaune stimule les émotions autant négatives que positives, dans son aspect négatif, c'est parfois l'indice d'un très grand orgueil, car elle met en valeur l'ego, donc est associé à une personne rusée, égocentrique, condescendante, impatiente, timide, bornée, négative, quelqu'un d'évasif, qui manque de confiance en elle, préoccupée, obsessionnelle, cynique, inconsciente, sarcastique.

Le jaune est associé à la maladie, à l'envoûtement, à la trahison, à la perfidie, à la lâcheté, à l'avidité. Le jaune très vif peut indiquer une grande peur, soit sur le plan amoureux ou des affaires. Il est relié au chakra du plexus solaire et au soleil.

VERT (JAUNE ET BLEU)

Couleur reliée aux émotions, à l'amour sous toutes ses formes, au pardon, à la compassion, à la croissance, à la mère nourricière, à la fertilité, à l'harmonie, à l'amour inconditionnel, au savoir inné, à l'âme universelle. Le vert demeure un symbole d'espoir, de renouveau, de paix, de plénitude, de chance, de franchise, de tranquillité, de modestie, de patience, de raffinement, d'esprit de collectivité, de sollicitude, d'empathie. Couleur de la nature, de la végétation, de ce qui est savoureux, vivifiant, sain. Couleur alcaline. Le vert est associé à la longévité, à l'immortalité, à la stabilité, à la satisfaction, à l'endurance, à l'oxygénation, à l'enracinement, à la respiration, à l'absolu.

Choisir cette couleur peut démontrer un besoin de se rééquilibrer, de renforcer le sentiment d'estime de soi, car le vert favorise l'équilibre physique et mental, éveille les forces bénéfiques en soi, et porte à protéger, à vivre de l'empathie. Cette couleur est l'expression de la sagesse, de la moralité, de la paix, de l'honneur, du raffinement, du cœur, de l'unification. Le vert peut être l'indice d'un éveil spirituel, d'un don de guérison, de dévouement.

Dans son aspect négatif, le vert peut présumer la trahison, le mensonge, la décrépitude, l'amer, l'envie, la malchance, l'avarice, la jalousie, la fermeture d'esprit. Le vert est étroitement relié aux personnes qui souffrent de dépendances affectives, à celles qui sont incapables d'oublier le passé, qui n'arrivent pas à pardonner. Associée au système circulatoire et à la poitrine, cette couleur est reliée au chakra du cœur et à l'élément air.

BLEU

Couleur primaire. C'est la couleur de la communication, elle exprime la douceur, la bonté infinie, la franchise, la belle imagination, la créativité, le sens artistique développé. Elle est associée au ciel, à l'éternité, à la transparence, à la pensée évolutive, à l'absolu, à l'immensité de l'Univers, à l'invisible. C'est un symbole de paix, de guérison, de sagesse, de vérité, de fidélité, de persévérance, de développement spirituel, de divinité, de conscience supérieure. Le bleu est associé à l'intellect, à la réflexion, à la pensée logique. Il s'agit d'une couleur reposante, calmante, rafraîchissante, pacifique, elle exprime la bonté, la compassion, le non manifesté, le féminin, l'aspect maternel, l'apaisement. C'est la couleur des gens libérés qui ont de la facilité à se mettre en valeur, à s'étudier, à faire une introspection. Ce sont en général des gens de devoir, sensibles, stables, persévérants, capables d'affection et capables de nourrir de belles amitiés, ainsi qu'aux personnes fidèles, sentimentales, patientes, sobres, dignes.

Peut aussi indiquer les tourments de l'âme, de la douleur, de l'affliction, du chagrin. Le bleu est associé au chakra de la gorge, au son, à l'éther.

BLEU MARINE

C'est la couleur de l'autorité, de l'efficacité, de la tranquillité d'esprit, de la sagesse, de la royauté, de l'aristocratie. Elle favorise la contemplation, elle est reliée à la divinité céleste, au moi supérieur, à la paix intérieure, à la spiritualité, à l'expression de la vérité profonde. Elle est reliée au système respiratoire.

Dans son aspect négatif, le bleu marine peut indiquer une difficulté ou un conflit non réglé, une faiblesse, une insensibilité, quelqu'un de malhonnête, de fanatique, d'entêté, de froid, de distant, d'autoritaire, de mélancolique. Cette couleur peut évoquer la tristesse, la dépression.

INDIGO (BLEU MARINE ET ROUGE)

Cette couleur représente l'éveil de la conscience et signifie la compréhension de la vie. Étant une couleur qui unifie, qui harmonise, elle est appelée la couleur de l'alchimie, est associée aux fonctions cérébrales, au système nerveux, aux yeux. L'indigo exprime le soi, la profondeur de l'être, l'interrogation, la chambre secrète, l'ouverture, la voie. Elle contient le grand savoir, la vision derrière le voile, la certitude, donc permet la traversée des doutes, elle illumine le coté sombre de la vie, elle ajuste le contact avec les guides. Elle est associée à l'évolution spirituelle, à la clairvoyance, aux perceptions extrasensorielles ainsi qu'aux personnes capables d'altruisme, de bienveillance. Dans des tons variés, l'indigo peut signifier des personnes individualistes, indépendantes, réservées, sensibles, responsables, d'une grande émotivité, d'une intuition très développée.

Dans son aspect négatif, cette couleur peut être l'indice d'un charlatan, d'une personne qui abuse des autres, utilisant à mauvais escient ses dons. L'indigo est relié au troisième œil, il est en relation avec la glande pituitaire et associé à la pensée.

VIOLET (INDIGO ET MAGENTA)

Cette couleur est reliée à la liturgie, aux personnes sereines, spirituelles, croyantes, avec une foi inébranlable, mystiques, ayant développé une grande intuition. Le violet chapeauté la gamme chromatique, c'est une couleur de hautes vibrations. Elle est considérée comme régénératrice, purifiante, signifie la recherche de l'authenticité, de la justice, de la défense d'une noble cause, de la réflexion paisible. Cette couleur dénote une bonne estime personnelle, une largeur d'esprit, une noblesse innée, une tendance à l'introspection, à une redéfinition de son statut social. Elle témoigne d'une forte émotivité, d'une imagination fertile, d'un sens analytique développé, d'une capacité à approfondir les vérités cachées. Elle est un symbole de vie, de richesse, de sérénité, de mysticisme, de luxe, d'ostentation, d'altruisme, de purification, de vision, d'illumination spirituelle, de don de clairvoyance. Cette couleur est associée au cerveau.

Dans son aspect négatif, le violet est associé aux personnes distantes, snobes, hautaines, parfois tyranniques et paranoïaques, tendues, inadaptées. Associée à l'art, à l'harmonie des contraires, à la magie, à l'alchimie, à la liturgie, cette couleur est reliée au chakra de la couronne, donc à l'esprit.

POURPRE

Cette couleur imposante évoque les grands événements de la vie, le deuil, les cérémonies solennelles. Associée au pouvoir, à l'autorité, aux personnes individualistes, le pourpre indique une forte personnalité ou une noblesse d'âme. Peut dénoter un aspect mégalomane ou excentrique. Cette couleur est associée aux êtres spirituels, sensibles, méticuleux, puissants, dignes, paisibles, harmonieux. C'est la couleur des objets précieux.

Dans son aspect négatif, le pourpre peut indiquer une grande nervosité, un être capricieux, snobe, bourgeois, vaniteux.

ARGENT

C'est la couleur du mercure. L'argent représente la lune, la joie, le féminin, l'affection et la créativité, cette couleur favorise la confiance en soi et aux autres. C'est la couleur du corps mental, donc associée aux génies, aux idées éblouissantes, parfois à une trop grande légèreté dans l'action, à un tempérament superficiel et à un faible souci des autres.

GRIS (NOIR ET BLANC)

Couleur neutre qui signifie la prudence, le compromis, l'équilibre, le conformisme, la recherche de la paix, de la dignité. Le gris représente l'analyse, le besoin de clarifier, de passer inaperçu. Associé au calme, à la sagesse, à l'intellect, au mystérieux, au traditionnel, au voyant, au maître en soi, à la persistance, aux êtres dévoués, sans histoire. Le gris peut signifier la couleur de la renonciation aux plaisirs, à la vie terrestre.

Cette couleur peut être reliée à la dépression, au découragement, à la menace, à la confusion, à l'indétermination, à la pollution, à la déprime, au découragement, au négatif. Cette couleur peut être attribuée à quelqu'un d'austère, d'accabler, à l'esprit étroit, victime d'illusion, de faible personnalité.

TURQUOISE

Couleur de la guérison, de la protection, de la créativité. Cette couleur est l'indice d'une personne à l'esprit ouvert, capable d'une communication authentique, avec une capacité d'échanger sur tous les plans. Tout comme le vert, le turquoise est curatif, rafraîchissant et offre la possibilité de se guérir soi-même.

BRUN

Le brun représente la terre mère, la protection, l'équilibre, la concentration, la connaissance, la sécurité, le confort, les objets de valeur. Cette couleur est reliée au sentiment maternel, à la fécondité, à la santé éclatante, à la générosité, à la force, à la patience, à l'endurance, à la solidité, à l'être travailleur, consciencieux, qui a le sens du devoir, fiable, stable, conservateur, aidant naturel, débrouillard, studieux, astucieux, honnête, perspicace. Le brun élimine l'anxiété, le stress, permet de s'ancrer, de se rééquilibrer au niveau de l'insécurité affective.

Dans son aspect négatif, le brun peut dénoter un sentiment refoulé, de dévalorisation, d'entêtement, de persécution, de souffre-douleur, de timidité, de paresse, de difficulté d'adaptation, d'ennui. Peut évoquer aussi la tristesse, la mélancolie, la morosité, le négatif.

BLANC

Cette couleur est associée aux cérémonies religieuses, au baptême, au mariage, dans certaines cultures, le blanc est utilisé dans les cérémonies mortuaires. Il représente en général, la pureté, la virginité, la spiritualité, la lumière inaltérable, l'accès à l'inconnu, l'intemporel, la naïveté, la clarté, la perfection, la complétude, le but suprême, l'unité de couleurs, la forte spiritualité, une disposition aux changements, aux multiples possibilités, aux expériences spirituelles, au repentir. Peut s'agir de la traversée d'une dimension à une autre. Permet d'éliminer le négatif.

Dans son aspect négatif, le blanc dénote du refoulement, des mémoires cachées, des secrets, un rejet émotionnel, un refus du corps, un désespoir.

NOIR

Le noir est une couleur de protection, de renoncement, de restriction, de tristesse, de dignité, sans désir pour le matériel. C'est la profondeur, l'inconnu, la mort, le mal, le deuil, l'ombre, l'insécurité, le néant, le mystère, les ténèbres, l'imperceptibilité, l'inconscient, le "solennel", les aspirants cachés.

Dans son aspect négatif, le noir peut dénoter un état dépressif, une envie de ne pas être perçu, de disparaître.

Exercice

Pour ceux et celles qui aimeraient pousser l'expérience, le choix des couleurs peut se faire les yeux fermés. Si je m'en remets à ma propre expérience, il est surprenant de constater à quel point nos choix se portent sur des couleurs inhabituelles, que nous ignorons la plupart du temps. Toutes les couleurs ont leurs particularités et cet exercice permet d'expérimenter toutes les couleurs, sans exception, sans préférence pour aucune d'elles.

Les couleurs produisent un effet sur nous, certaines de façon positive, d'autres de façon négative; ce n'est pas indispensable de savoir pourquoi telle couleur nous horripile alors qu'une autre nous émerveille, mais cela peut apporter une meilleure connaissance de nous-mêmes. La couleur peut déclencher en nous des mémoires et influencer de façon désolante notre présent. La pratique du mandala est le moment idéal pour harmoniser toutes les couleurs et rééquilibrer les aspects négatifs qu'elles produisent en nous. Les couleurs ont toutes des propriétés intéressantes, c'est pourquoi il est enrichissant de les utiliser à titre d'expérience. Cela peut créer de l'ouverture par rapport à tout ce qui nous rend indifférents dans la vie. Cet exercice peut accorder à une couleur une nuance acceptable et parfois surprenante.

 Une façon intéressante est d'ajouter à nos couleurs préférées une couleur moins attirante, comme le brun ou le gris, que personnellement j'évite! En y allant de façon parcimonieuse, par petites touches, il sera plus facile d'en assimiler les effets et d'accueillir le pourquoi de cette résistance.

Le symbolisme des formes

« Vous devenez ce que vous admirez. »

L'enfant Bouddha de Gokhale

La géométrie sacrée nous rappelle que les formes nous informent, qu'elles ont toutes un message à nous livrer. Bien qu'elles soient omniprésentes autour de nous, elles échappent souvent à notre attention; c'est par l'initiation à la géométrie sacrée que j'ai approfondi cette connaissance des formes qui demeure, à mon avis, à découvrir. Nous reproduisons partout ces formes, car elles font partie de nos goûts, de nos habitudes de vie, de notre évolution.

Nous construisons nos maisons en forme de carré, de rectangle la plupart du temps, sans doute pour des raisons de sécurité. Nous prenons nos repas autour d'une table ronde, ovale ou carrée, selon l'aspect convivial que nous voulons retrouver ou le côté plus pratique du carré! Nos horloges sont en forme de cercle la plupart du temps, nos lits sont rectangulaires, etc. Quant à moi, depuis la pratique du mandala, le cercle demeure toujours un premier choix, mais j'avoue que lorsque j'ai tenté de faire un jardin circulaire, le côté pratique du carré m'a manqué, et je suis revenue au jardin traditionnel. Cependant, si j'avais le choix, j'opterais pour une maison circulaire où tout est courbe et propice à s'installer au centre. À défaut de cette maison de rêve, je planifie le sol d'une pièce tout en rondeur, avec des tuiles qui définiront le cercle.

Je pourrais multiplier les exemples, mais je vous laisse vivre cette expérience qui sans doute vous permettra de mieux comprendre les choix que vous faites et qui semblent anodins, alors qu'ils cachent des vérités profondes. Je vous invite à observer les anciens bâtiments ainsi que les nouveaux afin de voir comment les formes évoluent et comment nous orchestrons nos choix.

J'espère que les définitions qui suivent apporteront un peu de lumière sur ces formes qui enjolivent nos maisons, nos existences et notre être. Ces définitions sont inspirées de la géométrie sacrée et de différents livres. Je vous invite à prendre connaissance de ces structures géométriques qui constituent des énergies condensées et qui nous rappellent que tout est relié.

LE CERCLE

Il est le symbole de la création, de la terre ronde qui évolue dans un éternel recommencement. Les formes circulaires de l'œuf, de l'embryon, de la membrane qui contient la semence démontrent l'aspect protecteur du cercle. Il protège ce qui est sacré, la vie. Il est associé à la créativité, à la nature, à la femme, à l'élément eau ainsi qu'aux cycles répétitifs, il est donc relié au temps, à l'évolution, à la perfection. Le grand cercle cosmique, symbole d'unité, englobe tous les univers, tous les hommes, tous les règnes dans un même et unique mouvement d'évolution et d'intelligence.

 **LE CARRÉ**

Par le parfait équilibre entre ses 4 cotés, il est un symbole de stabilité. Il nous sert d'exemple pour maintenir cet équilibre dans les différents aspects de notre vie: physique, psychique, spirituel, psychologique. Il représente aussi l'importance de la stabilité entre les 4 éléments, l'eau, l'air, le feu et la terre, pour parvenir à l'enracinement, à l'action juste, à la matérialisation. Associé au masculin, il est force, pouvoir, détermination et logique. Il représente notre propre autorité.

 LE TRIANGLE

Il est un symbole d'harmonie, de fécondité. Il relie le père, la mère et l'enfant. Par ses cotés identiques, il nous enseigne la règle de trois et de faire l'union avec le corps, l'âme et l'esprit. Symbole divin, il est un véritable temple de protection, une invitation à s'élever, à escalader les différentes dimensions de l'être. Avec la pointe vers le haut, il est associé à l'élément feu et il représente la masculin. Avec la pointe vers le bas, il est associé à l'élément eau et il représente le féminin.

Quatrième partie

La lecture du mandala

« Aussi intéressant soit-il de suivre un grand esprit sur son chemin, je ne voudrais suivre que celui qui me fait avancer. »

Rudolf Steiner

hercher à comprendre ce que veut dire notre mandala est une chose tout à fait normale et profitable. Cependant, lorsqu'il s'agit de décoder les messages de l'inconscient, cela exige une certaine réserve, car c'est comparable à faire l'analyse du rêve. Le lexique de base soutient certaines explications, mais il y a d'autres indices que seul possède le rêveur. La lecture du mandala exige prudence et discernement, surtout lorsqu'il s'agit du mandala d'une autre personne, c'est pourquoi il est question de lecture et non d'analyse en profondeur du mandala. Le but est de permettre à chaque personne de s'autoévaluer par le coloriage et de parvenir à mieux se comprendre, à se connaître et à accepter ses différences.

Il est préférable de vous en tenir à une interprétation simple, avec des messages profitables et réconfortants pouvant contribuer à trouver des réponses, des solutions. Adoptez, de préférence, une approche enrichissante plutôt que « confrontante », et confirmez à plusieurs reprises avec la personne concernée si ses commentaires proviennent du juge intérieur, du parent intérieur ou de l'enfant intérieur.

Parfois, certaines personnes cherchent des réponses, mais elles éprouvent une peur bleue à l'idée de découvrir des vérités qu'elles tentent de fuir. Il est important avant tout de saisir l'état d'esprit de la personne, de saisir son interrogation, de comprendre ce que contiennent ses questions et celles qu'elle retient. Allez-y avec des suggestions ou interrogez-la sur sa propre interprétation. S'agirait-il de...? Comment s'est-elle sentie en coloriant, avant et après? Une mémoire a-t-elle fait surface? Y a-t-il eu un soulagement? Cette approche permet d'agir avec sagesse et de servir d'interface afin de remettre la personne en contact avec son propre « ressenti ». C'est d'ailleurs le but du mandala. Lorsqu'une personne est timide, il est probable qu'elle présente un dessin très pâle. Suggérez-lui donc le

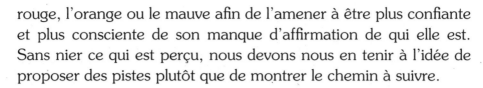

rouge, l'orange ou le mauve afin de l'amener à être plus confiante et plus consciente de son manque d'affirmation de qui elle est. Sans nier ce qui est perçu, nous devons nous en tenir à l'idée de proposer des pistes plutôt que de montrer le chemin à suivre.

Les couleurs n'ont pas la même signification pour tout le monde. Nous n'avons donc pas le choix de considérer cette variance. En principe, la lecture devrait servir à donner un sens à notre mandala, à préciser notre état d'âme en mettant des mots sur ce que la couleur et les formes ont fait jaillir en nous. Noter comment on se sent avant et après le coloriage est un moyen d'amorcer le travail d'introspection.

Observer chaque mandala comme porteur de message nous incitera à y aller avec souplesse et détachement. Être à l'écoute du « ressenti », de ce que le mandala a provoqué en nous, est la première étape dans la lecture du mandala. Si possible, il ne faut pas se baser uniquement sur l'aspect esthétique, mais considérer qu'il est question ici d'un ensemble de possibilités rattachées à de lointains souvenirs, à des mémoires occultées ou à des blessures cachées. Étant donné que le premier regard est influencé par une première impression dont les critères d'évaluation sont en majeure partie influencés par l'apparence du dessin, c'est donc qu'il faut s'habituer à voir au-delà des perceptions visuelles pour lire, à un autre niveau, le message qu'il contient.

Plusieurs personnes me demandent s'il y a des cours offerts sur l'interprétation du mandala. Étant donné que, dans la lecture, une part est basée sur le savoir intellectuel qui présente des données précises et que l'autre part est le fruit de l'expérience, de l'intuition, il n'est pas certain qu'un cours précis puisse combler les deux parties. Cela vient avec la pratique et l'expérience.

Toutefois, certains points vont aider la compréhension des dessins, mais cette approche se veut d'abord un guide sur le chemin de l'épanouissement intérieur afin de mieux comprendre le langage mystique de l'âme à travers le mandala.

Pour votre propre plaisir, et pour une meilleure exploration du mandala, je vous suggère un premier exercice qui serait intéressant et qui consiste à établir votre propre charte de couleurs. Cela peut sembler un travail fastidieux, ou même inutile, mais au fil du temps, il pourrait se révéler d'une grande utilité. Certes, ce livre et bien d'autres offrent des définitions des couleurs qui peuvent être satisfaisantes. J'y ai moi-même découvert des variantes intéressantes et j'avoue qu'il s'agit là d'une affirmation de notre vérité profonde qui ne contredit pas le travail déjà fait, mais qui apporte une vision personnelle de la vibration des couleurs. Toutefois, cela demeure une simple suggestion.

Pour ceux et celles qui souhaiteraient vivre cette expérience. Il s'agit de dessiner un petit cercle et de faire rouler la couleur à plusieurs reprises, jusqu'en périphérie, en commençant par le centre et en utilisant un crayon de bois bien aiguisé. Il faut être très présent à ce qui monte puis inscrire ce qui vient, avec des mots courts. Il ne s'agit pas de réfléchir ou d'analyser, mais de se laisser imprégner par la couleur afin d'entendre son message.

Il faut faire de même avec le rouge, l'orange, le jaune, le vert, le bleu, l'indigo et le violet. Cet exercice, en plus d'apporter des informations précieuses, procurera harmonie et détente, puisqu'il est fait à l'intérieur du cercle.

Il n'est pas nécessaire de compléter la charte des couleurs en une seule fois. Cela peut être fait avant de colorier un mandala, d'expérimenter le jaune, un jour, puis un autre jour, le bleu, etc.

Il est possible de faire la même expérience avec les formes et les symboles afin de trouver ce que cela produit en nous. Ce travail éveille la conscience et l'attention de tout ce qui nous entoure, ce qui nous compose, ce qui se dérobe à notre vue, mais qui demeure omniprésent dans nos vies.

Points à observer lors de la lecture du mandala

« L'homme n'est vraiment homme que lorsqu'il joue. »

Friedrich von Schiller

1- En premier lieu, qu'il s'agisse de notre propre mandala ou du mandala d'une autre personne, prenons le temps de nous centrer par une bonne respiration et, si possible, de dessiner le mandala d'intuition, ce qui va rééquilibrer tous les centres d'énergie.

2- Plaçons le mandala bien en vue afin d'en avoir un regard d'ensemble. Quelle est la première impression qui nous vient? Prenons le temps de bien nous en imprégner, car tous nos capteurs sont à l'œuvre. Il ne s'agit pas de le qualifier de beau, mais d'y aller avec la notion créative, originale, vibrante, équilibrée, dérangeante, invitante, harmonieuse, etc. Quel titre pourrions-nous lui donner? Pourquoi?

3- Comment la couleur est-elle appliquée et répartie? De façon intense, très ou peu définie? Le coloriage est-il serré ou aéré?

Si la couleur est appliquée avec une grande intensité, cela dénote que nous sommes une personne de caractère, donc les messages se présentent avec beaucoup d'intensité, d'autorité, de pouvoir. Nous tentons de faire valoir nos idées, nous pouvons être obstinés, entêtés. Nous pouvons nous poser les questions suivantes : « Pourquoi ce besoin d'intensité? Est-il relié à la performance, à l'idée de vouloir vivre intensément? »

D'un autre côté, un mandala colorié avec des couleurs pastel et appliquées de façon très légère pourrait dénoter une fragilité d'expression, une timidité, peut-être un manque de confiance en nous, du moins une insécurité et peut-être même un chagrin, un état dépressif. C'est souvent notre indice de la peur d'être jugés, observés, comparés, visibles. Nous pouvons nous poser les questions suivantes : est-ce que le fait de colorier soulève des peurs? Lesquelles? Peur d'être critiqués dans la vie? Est-ce l'orgueil qui freine le mouvement? Qu'est-ce que cela produit en nous, s'il est question d'apparence de blocages, de peurs?

4- Les couleurs appliquées de façons serrées pourraient signifier que nous nous sentons coincés dans la vie ou que nous craignons de manquer de place, que nous voulons occuper tout l'espace, saisir toutes les occasions, en prendre plus que moins. Nous voulons être partout à la fois. D'un autre côté, un coloriage aéré, ou avec des espaces non colorés, peut est l'indice de liberté, d'un besoin d'espace, d'un désir de nous défaire de certaines emprises, de ne pas vouloir être envahis. Nous avons besoin de portes de sortie, de possibilités de nous évader, de sortir de notre quotidien, de nous aérer. Nous craignons le trop-plein.

Lorsqu'il est question d'un coloriage plus aéré, ce serait attribué à une personne qui a beaucoup de souplesse d'esprit, qui n'a pas besoin de s'imposer, qui dispose d'une certaine sécurité. Elle est capable d'un premier jet de couleur, sans éprouver le besoin de tout régler dans une première fois. Elle se donne le droit de revenir, de finaliser en douceur, d'accepter ce qui est.

Colorier avec de la transparence, c'est être transparent dans la vie, ce qui veut dire que nous n'avons rien à cacher et que nous sommes à l'écoute de notre être intérieur. C'est aussi un gage de contenance, d'une certaine capacité d'absorber, de contenir les événements, sans réagir, sans nous raconter, sans nous comparer. C'est une attitude à développer pour une meilleure maîtrise personnelle.

5- Faire des nuances avec la couleur exprime un état de fluidité. Cette personne est harmonieuse, capable de s'adapter, a un côté artistique très développé qui lui sert d'expression pour traverser les côtés moins rigolos de la vie.

6- Y a-t-il trop de couleurs ou pas assez? S'il y a trop de couleurs, dans ce cas, la personne s'attend à recevoir beaucoup de la vie, elle veut tout saisir, goûter à toutes les fantaisies qui s'offrent à elle. Elle va même au-devant. Elle a tendance à être difficilement rassasiée, donc exigeante envers elle-même et envers les autres. Elle exprime une grande soif de savoir, de possession.

S'il n'y a pas assez de couleurs, elle se contente de peu, elle a peur de demander, de recevoir. Il peut s'agir d'une personne qui croit qu'elle ne mérite pas d'être dans l'abondance, dans la facilité. Cela peut être la preuve des croyances erronées comme de travailler fort pour réussir.

7- Comment la couleur se présente-t-elle? Avec des dominances ou est-elle bien partagée et équilibrée? La couleur du centre est normalement celle qui donne le ton juste à la vibration intérieure. Plus les couleurs s'étendent en périphérie, plus elles peuvent démontrer des sensations de moindre importance ou le besoin de trouver l'autre version de ce qui se passe au centre. Il ne faut pas oublier que l'intensité de l'état a diminué, par le coloriage du centre, et cela peut influencer le coloriage en périphérie. Certaines personnes vont même jusqu'à faire un autre choix de couleurs, car celui du départ ne convient plus. C'est correct ainsi, car ce qui importe, c'est d'écouter la sensation du moment. C'est donc un aspect à remettre en question lors de la lecture, à savoir quelle couleur a servi pour colorier la périphérie. Est-ce la même que celle du centre? Si oui, c'est donc qu'il y a eu union entre le centre et la périphérie, entre ce que vit l'être intérieurement et ce qu'il présente comme image extérieure.

Si le choix des couleurs change entre le début du coloriage et l'application, il peut s'agir d'une personne très à l'écoute ou il peut s'agir d'un indice d'une personne changeante, insatisfaite d'elle-même.

8- Comment les couleurs sont-elles agencées dans le mandala? La symétrie est-elle respectée? La droite et la gauche se chevauchent-elles? En géométrie sacrée, il est intéressant de visionner le mandala dans le cercle avec ces répartitions des plans conscients et inconscients, avec la grille d'évaluation (voir page 112). Le mandala se divise en quatre parties. Dans quelle partie du mandala la couleur et les formes sont-elles reparties de façon plus intense? La partie droite du haut représente une conscience très éveillée, apte à accepter les changements. La partie gauche du haut représente une légère retenue, l'acceptation n'est donc pas complète. L'être s'ouvre en grande partie, mais demeure avec un peu de scepticisme. La partie droite du bas représente une conscience en dualité, où il y a autant de doute que de vouloir. La partie gauche du bas représente l'être qui commence son cheminement, qui veut, mais qui a beaucoup de difficultés à s'abandonner, à vivre de certitude. Il transporte un poids lourd de mémoires, d'interdictions, de souffrances.

9- Le choix des couleurs est-il harmonieux, étrange, agréable à regarder ou disgracieux?

10- Il faut décoder les indices spécifiques. Voici des exemples :

❋ Lorsqu'une personne définit le contour des formes avec un crayon noir, cela pourrait signifier qu'elle est compartimentée, qu'elle ne partage pas de façon ouverte. Elle choisit les personnes à qui elle se confie, elle est secrète, introvertie, refuse de se dévoiler de peur d'être blessée. Elle ne mélange pas la famille, les affaires, les amis.

❋ Pour ce qui est de la lecture des dessins dans les cahiers à colorier, tous les points ne sont pas applicables, car les formes sont symétriques. Cependant, tout ce qui concerne la couleur peut convenir et fournir suffisamment d'informations pour permettre un bon décodage.

❋ Il m'est arrivé à quelques reprises de faire la lecture du cahier à colorier et ce fut très révélateur! Ce travail nécessite plus de temps et d'attention que la lecture d'un mandala, car les messages s'échelonnent d'un dessin à l'autre. J'ai pu voir, dans le cahier d'une participante, entre autres, que le message se situait sur le plan de l'expression de la parole. Le bleu dans son dessin était de faible intensité au début, s'intensifiait au fur et à mesure du coloriage. Plus la participante habitait son mandala, plus se précisait son intention de s'exprimer. J'ai su, par la suite, qu'elle vivait des peurs à l'idée de visiter un pays étranger et qu'elle éprouvait de grandes difficultés à exprimer son refus à son conjoint. Après le coloriage, elle a été en mesure d'oser parler de ses inquiétudes et elle a terminé le coloriage du cahier afin de favoriser l'estime personnelle.

Souvent, les mamans me demandent comment interpréter le mandala de leur enfant. Dans ce cas, il est nécessaire d'être doublement prudent afin de ne pas émettre de commentaires qui pourraient étiqueter l'enfant. Je leur suggère, comme je le fais à maintes et maintes reprises, de demander à l'enfant ce qu'il voit dans son mandala? Qu'a-t-il ressenti en coloriant? Pourquoi choisir le rouge ou le bleu? Laissez s'exprimer l'enfant, sans devancer le dialogue, interrogez-le sur son état. Il y de bonnes chances qu'il reconnaisse lui-même les messages et ce sera plus fructueux et plus sûr. Donc, ramener l'enfant à sa propre perception est le moyen idéal pour faire une lecture profitable et créer un dialogue intéressant. Les enfants sont aptes à ressentir et à exprimer ce qu'ils vivent. Il faut prendre le temps de les interroger, de les écouter. Ils ont besoin de se raconter. Écoutons-les avec le cœur. Nous serons en mesure de mieux les conseiller.

Grille d'évaluation

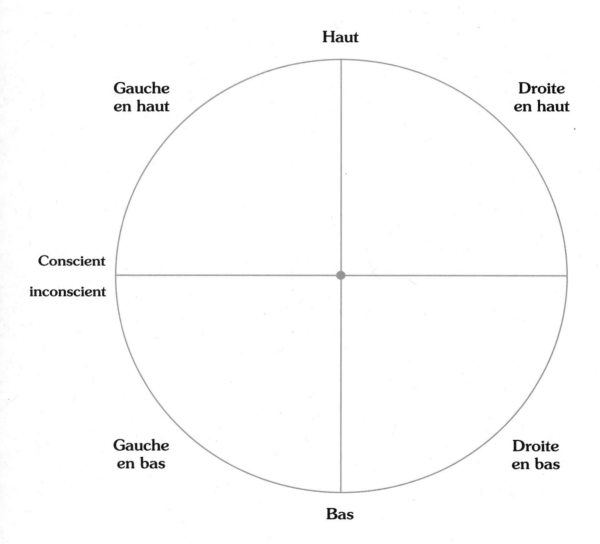

Que faire si une mémoire traumatisante remonte?

« De tout pouvoir qui tient le monde enchaîné,
l'homme se libère lorsqu'il sait se gouverner. »

Johann Wolfgang von Goethe

Si une mémoire remonte et qu'elle a pour effet de nous désta-biliser, accueillons-la comme nous le ferions pour toutes autres nouvelles ou événements traumatisants. Ne jugeons pas ce qui vient, mais faisons-lui de la place en nous en ne cherchant pas à chasser ou à éviter cet état, mais en demeurant en contact avec l'émotion, avec l'information. Si possible, continuons de colorier. Si c'est trop intense, changeons de crayon de couleur, puis respi-rons, mais demeurons en contact avec cette mémoire qui demande à être libérée consciemment.

Colorier permet de retrouver notre équilibre, de demeurer centrés, car les couleurs contribuent à faire passer cette émotion, à en atténuer les effets perturbateurs, sans toutefois en diminuer le contenu. Il serait bon d'exprimer cette émotion en écrivant des mots : *souffrance*, *cruauté*, *terreur*, *abus*, et si une phrase vient, qu'elle soit courte et concise pour ne pas tomber dans l'analyse du mental.

Lorsque monte une information, en principe, c'est que nous sommes prêts et consentants à recevoir ce message, à épurer cette mémoire. C'est une chance que nous devons saisir, car c'est sans aucun doute un obstacle à notre épanouissement, à notre évolu-tion, du moins à notre bien-être. La meilleure façon d'y arriver,

113

c'est en demeurant dans le moment présent, en évitant de trop penser à ce qui peut subvenir, à ce qui a été. Comme le dit l'adage, « ce qui ne s'exprime pas s'imprime ».

Le mandala est le meilleur endroit pour accueillir les traumatismes de l'enfance, les blessures, les déceptions, les peurs, les abus subis. À l'intérieur du cercle protecteur, nous disposons de la capacité de nous rééquilibrer. Ainsi, celui ou celle qui accueille une mémoire troublante est le signe que le moment est venu pour l'âme de livrer son secret. Même si cette prise de conscience est pénible et qu'elle exige des efforts et des haut-le-cœur, la personne sera exempte de bien des souffrances, de bien des troubles psychologiques, car en même temps que monte cette mémoire attristante vient aussi son contraire qui lui dit que ce qui est délogé fait de la place à plus de clarté. L'expression ainsi libérée peut produire de grands changements dans la vie de cette personne, car elle peut, si elle le désire, venir en aide à d'autres qui ont subi ces mêmes traumatismes. Elle peut devenir un exemple ou poursuivre son évolution avec plus de liberté d'être.

Dans un atelier, j'ai été témoin de la libération d'un douloureux traumatisme subi durant la petite enfance. Malgré les pleurs et les déceptions, cette participante a consenti à accueillir la mémoire qui hantait ses rêves, jour après jour. Elle avait subi l'inceste et c'est en coloriant le mandala d'intuition, par le bleu, que le souvenir de son père abuseur lui est revenu. Soutenue par l'empathie du groupe, elle s'est sentie en sécurité et elle a su en quelques minutes se libérer d'un lourd fardeau qui ternissait sa joie de vivre et son expression créatrice. Nous l'avons encouragée à continuer, alors elle a exprimé le rouge de la colère, qui lui a permis de retrouver son énergie créatrice emprisonnée. Puis, elle a coloré avec force l'orange de la détermination, puis le vert de l'espoir. Sous nos yeux, nous avons pu observer les changements se faire de façon saine et libératrice. Elle a continué à faire intensément ses propres mandalas et elle a ensuite colorié dans les cahiers. S'étant libérée totalement, elle s'est inscrite dans une chorale où elle a déployé sa voix comme jamais elle l'aurait cru possible. Elle a concrétisé un rêve, soit celui de devenir chanteuse.

Il est important de ne pas craindre les messages, car la peur peut freiner la montée d'informations et de souvenirs qu'il vaut mieux libérer que de garder en nous, ce sont des mémoires récurrentes. Tous les moyens sont valables pour nous libérer de nos blocages et de nos fantômes afin de retrouver la paix de l'âme et de l'esprit.

Conseils pratiques

« L'homme ne peut découvrir de nouveaux océans,
à moins d'avoir le courage de perdre de vue le rivage. »
André Gide

* Ce qui peut monter dans la pratique du mandala, ce sont des mémoires qui sommeillent en nous. Vouloir les éviter ou craindre ces réminiscences serait de croire que taire une émotion en élimine l'existence.

* N'oublions pas que dans le mandala tout se fait en son temps.

* Le mandala travaille là où il doit travailler. Si une mémoire est prête à monter, et qu'il y a consentement conscient ou inconscient, cela se fait en douceur.

* Le mandala est une occasion de nous accepter comme nous sommes. Nos imperfections sont sur la même ligne d'accomplissement que nos perfections. Nous sommes déjà parfaits.

* Le mandat du mandala n'est pas de nous transformer, mais de nous mettre en contact avec notre moi supérieur.

* N'oublions pas le point central, c'est là que tout commence. S'il est manquant, ajoutons-le à notre dessin.

* Évitons de comparer nos mandalas, de les juger, car le mandala est l'expression du contenu de l'âme. Pourrions-nous dire à quelqu'un qu'il a vécu plus ou moins de souffrances que nous? Il n'y a pas de comparaisons possibles, donc pas de mauvais ou de bons mandalas, il n'y a que des mandalas qui expriment l'état intérieur.

Cinquième partie

Les différentes formes de mandala

« Tant que notre âme et notre personnalité sont en harmonie, tout est joie et paix, bonheur et santé.

Le conflit surgit quand notre personnalité s'écarte de la voie tracée par l'âme, soit par l'entraînement de nos propres passions, soit par l'influence des autres.

Ce conflit est la cause de la maladie et de l'insatisfaction. »

Richard Bach

Mandala d'intuition

Le mandala d'intuition nous permet de nous harmoniser et de faire l'union entre la personnalité et l'être essentiel. Il est important par sa caractéristique, car il permet la montée et la descente des informations complémentaires en même temps. Cela se fait sans que nous ayons besoin d'y penser, car il contient son contraire.

Formé seulement du cercle et du point, ce mandala est unique et simple, mais il n'est pas moins efficace, car il est complet par lui-même. C'est le mandala préparatoire étant donné qu'il exclut toute forme de performance, car l'accent est porté sur l'exécution, sur le lâcher-prise. C'est celui qui délie la main, la pensée, qui ouvre l'esprit et le cœur. Il abolit toute crainte de se tromper, toute ambition de vouloir « faire beau ». Il est une aide précieuse qui permet d'installer la confiance dans le cercle en laissant libre cours au mouvement intuitif et en invitant chacun à demeurer présent, ici et maintenant.

Le cercle du mandala est l'endroit tout indiqué pour exprimer notre créativité et pour explorer, dans un geste de va-et-vient continu, le contenu du mandala. Le principe voulant que, lorsque les couleurs circulent dans le cercle, elles circulent aussi à l'intérieur de nous, nous permet de voyager à l'intérieur du cercle dans un total abandon, dans une complète libération, tout en étant à l'écoute de ce qui se passe à l'intérieur de nous.

À l'intérieur du cercle, le point central doit être très **identifiable** puisque aucune autre structure n'est en place dans le cercle et que celui-ci servira de repère tout au long de l'exercice. Dans ce mandala comme dans tous les autres, si le point est oublié, il est risqué d'oublier le sens de la vie, l'importance de son orientation. Sans le point, nous pourrions oublier le pourquoi de nos batailles, de nos expériences.

L'exécution

Lorsque le cercle est dessiné, nous devons veiller à ce qu'il soit bien fermé. En partant du centre, commençons à explorer avec les couleurs en roulant la couleur du centre vers la périphérie, en jouant sans diriger, en nous abandonnant au plaisir du geste. Il est suggéré d'utiliser deux nuances de bleu, deux nuances de jaune, deux nuances de rouge. Ces couleurs primaires, en se superposant, vont produire les couleurs de l'arc-en-ciel et, par le fait même, les couleurs des chakras qui permettent l'harmonisation des centres d'énergie.

Amorcer le coloriage

✱   Il n'y a pas de couleur précise pour commencer.

✱   Dessinons le cercle. Partons du point central. Tenons bien droit le crayon, puis tournons et retournons le crayon à plusieurs reprises dans le centre afin que la couleur soit bien présente. C'est ce que l'on appelle l'activation de la couleur.

✱   Une fois que le centre est bien visible, allons-y d'un geste naturel en dessinant de grandes loupes, des cercles dans un sens puis dans l'autre. Le premier jet de crayon va donner le ton au mouvement. Allons-y donc avec audace et osons nous élancer vers la périphérie afin d'habiter tout l'espace dans le cercle. Allons-y d'un geste conscient, sans tomber dans l'automatisme. Il ne s'agit pas de barbouiller, mais de suivre un processus intuitif en demeurant présent à l'effet des couleurs et au fait d'explorer le cercle.

Voyageons du centre vers la périphérie en consultant le point central à plusieurs reprises, sans craindre de dépasser le cercle. L'intelligence du corps reconnaît l'espace qui lui est alloué. Lorsque la première couleur a bien travaillé et que le contour a été tracé à plusieurs reprises en périphérie, déposons le crayon, choisissons une autre couleur et continuons l'exercice avec chacune des couleurs.

Ne nous soucions pas des lignes qui excèdent. Il est important de garder un mouvement libre et continu. Il n'est pas question ici de tracer, mais de nous exécuter comme rarement nous pouvons le faire dans la vie. Ce mandala, dans un langage plus familier, est appelé brassage de chaudron, car il s'agit de brasser sans nous interroger, et ce, tout en étant à l'écoute de ce qui vient à nous.

✳ Choisissons chaque couleur, retournons-la au centre, activons-la à son tour et continuons l'exploration. Faisons de même avec chaque couleur : rouge, bleu, jaune. Pour faire cet exercice, il est nécessaire d'utiliser des crayons bien aiguisés, car la pointe du crayon produit sur le papier un effet vibratoire qui serait comparable à l'acupuncture. Tourner le crayon nous met en contact avec le centre et avec ce qui se passe en nous.

Si la main s'arrête, que le crayon appuie dans un endroit donné et qu'il roule sur lui-même en formant un point, cela peut être l'indice d'un blocage. Remarquons la couleur et la partie du corps dans laquelle est ressenti le blocage. Poursuivons l'exercice en demandant de comprendre où est la résistance. Qu'avons-nous accumulé dans nos cellules? Qu'est-ce que notre corps veut nous dire?

Ne craignons pas ce qui peut advenir, car il est plus dommageable de taire un malaise que de nous l'avouer. Ce qui n'est pas libéré s'emprisonne et serait comparable à un parasite qui se nourrit de nos peurs et de nos doutes! C'est une occasion d'être notre propre thérapeute, d'accepter ce qui est, ce que nous sommes.

L'exemple démontré précédemment concernant la remontée d'un traumatisme demeure toutefois exceptionnel! Le mandala d'intuition a servi à maintes occasions pour amorcer un nouveau départ ou pour finaliser une situation agonisante. Il a permis à plusieurs de s'orienter vers de nouvelles avenues ainsi qu'à d'autres d'atteindre des rêves longtemps gardés secrets.

Ce mandala offre une liberté d'être, ouvre à de multiples possibilités. Il rejoint l'être dans ses besoins fondamentaux de s'exprimer en toute confiance et fait abstraction des obligations, des consignes et des critères d'évaluation. Ce mandala est un compagnon de tous les jours, à la portée de tous, facile à reproduire et agréable à exécuter.

Les enfants raffolent de ce mandala. En classe de cinquième année, un enfant qui avait bien fait son exercice avant un examen de mathématique a eu 100 % dans son travail.

✱ Pour faire la lecture de ce mandala, identifions le haut et le bas et décrivons ce que cet exercice a soulevé en nous. Inscrivons-y la date et donnons-lui un titre. Il est suggéré de noter l'état dans lequel nous nous trouvons avant et après le coloriage.

Recommandation

Je recommande de faire ce mandala avant de prendre une décision, avant l'exécution d'un travail important, avant de donner une conférence ou de faire une rencontre importante, lors de l'annonce d'une mauvaise nouvelle, après avoir visionné un film effrayant, stressant! Il peut être fait en tout temps, et sans raison précise, dans l'autobus, dans l'avion, dans le taxi, dans une salle d'attente. Si nous n'avons pas les crayons appropriés, un crayon à l'encre ou à la mine peut faire l'affaire, car l'important est de nous exécuter dans le cercle en partant du point central. Il est intéressant de l'ajouter à notre rituel quotidien.

Témoignage de l'auteure

Un jour, alors que j'étais contrariée par une remarque, j'ai choisi de faire le mandala d'intuition. À l'intérieur du cercle, dès que je colorie le bleu, je m'apaise. Ensuite, j'applique le jaune et un sourire me vient. J'ai donc réalisé que la situation n'était pas dramatique et que j'avais exagéré l'événement. En tournant la couleur, la réflexion se faisait avec le rouge et je constatais que je m'étais laissé déranger inutilement. J'ai cru ce que l'autre me reprochait. En poursuivant avec le rouge, j'ai pris conscience que j'avais le pouvoir de changer mon état.

Le jaune est venu égayer mon humeur et j'ai changé de registre. Le bleu m'a permis de réfléchir au fait que j'étais en cause! Le rouge a accentué mon pouvoir de décision et m'a replacée dans l'amour. Le vert m'a redonné espoir que cette expérience faisait partie de la vie. Quand sont apparus le mauve et l'indigo, ma compréhension s'est élevée, j'ai vu les pièges de l'ego. Après le coloriage du mandala d'intuition, j'ai repris mon travail et ma journée s'est déroulée en paix, en harmonie, en équilibre, car j'avais compris que je devais regarder comment je prends la critique plutôt que de juger l'autre.

Suggestion

À la maison, laissons le matériel nécessaire à la portée de la main afin de pouvoir nous y adonner lorsque le cœur nous en dit. Si tout est bien rangé dans le tiroir, cela risque d'être mis de côté ou oublié. Réservons un petit coin bien en vue, dans un bac, avec crayons, papiers, taille-crayon. Cela fera toute la différence et pourra nous inciter, ou encourager un membre de la famille ou un ami, à expérimenter ce mandala de façon soudaine et spontanée.

Développer cette habitude élimine le stress, l'impatience, la colère et surtout permet de rééquilibrer, d'harmoniser et de prendre des décisions justes. À faire chaque jour si possible avant le coucher, au réveil ou au cours de la journée. Recommandé pour les enfants qui font des paniques nocturnes, le mandala d'intuition est aussi très profitable avant les examens ou lorsque les personnes vivent des désagréments de toutes sortes.

Avant de promouvoir cet exercice, il est préférable d'adopter nous-mêmes cette méthode. Ce sera la meilleure façon d'inciter les autres à faire de même. Si le parent vit cette expérience avec son enfant, il est certain que s'installera une complicité qui incitera l'un et l'autre à avoir recours à ce mandala selon ses besoins. Il fera du coloriage une période de rapprochement.

Il serait bon de nous procurer un petit livret dans lequel il serait possible de tracer le cercle et d'exécuter le mandala, peu importe là où nous nous trouvons. Que nous soyons dans les airs, dans un taxi ou dans l'autobus, le fait de colorier à l'intérieur du cercle, avec un crayon à l'encre ou à la mine, va produire son effet, car l'entrée dans le cercle sera profitable et l'exercice sera très valable.

* Ce mandala d'intuition se retrouve à la fin de chaque cahier à colorier mandala.

* Lors de vos achats de crayons, pensez à vous procurer des doubles de crayons rouge, jaune, bleu, car ce sont des couleurs grandement utilisées dans les mandalas d'intuition.

* Il est aussi intéressant de faire le mandala d'intuition avec d'autres couleurs que les couleurs primaires. Choisissons les couleurs de la même façon que pour les dessins mandalas et allons-y librement et de façon intuitive.

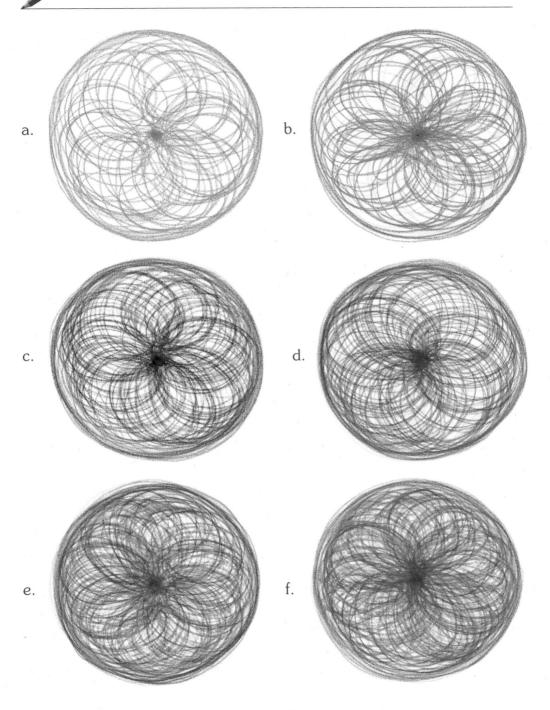

Mandala d'intuition pure

« *L'homme se crée d'intelligence.* »

Albert Jacquard

Ce mandala, constitué seulement du cercle et du point, est très apprécié en atelier, car il diffère quelque peu du mandala d'intuition, puisque maintenant que la main et la pensée sont déliées, le moment est venu d'exprimer notre créativité. Sans structure, sans consigne, c'est la pleine expression de nous-mêmes, autant sur le plan du choix des couleurs que du dessin.

En nous unissant au point central, laissons aller le crayon de couleur qui, dans un mouvement spontané, reproduira des formes, des dessins, des symboles. Ce qui en résulte est parfois fabuleux et au-delà de ce que nous pourrions imaginer.

La pratique se déroule ainsi. La couleur, installée en lieu sûr dans le cercle, roule au centre qui s'exprime à son tour. Même s'il est impossible de traduire en mots la libération ressentie, la couleur vibre et produit des formes inusitées. Un dessin apparaît et nous apprend que tout est possible, que le créateur en nous est bel et bien vivant. Il nous suffit de l'exprimer. Jaillit alors un sentiment d'autonomie que nous refusons souvent dans la vie. Ici, nous pouvons exprimer tous les aspects de nous-mêmes, délinquants, explorateurs, rebelles, volontaires, actifs, sécurisés. Il n'y a pas de risque, pas de peur, pas de stress, que la pure expression de nous, en formes et en couleurs.

Témoignage de l'auteure

Sans structure, portée par l'instant, guidée par l'intuition, je laisse parler ce qui se vit en dedans comme en dehors. Je suis sûre que tout va se mettre en place dans le visible comme dans l'« invisible ». Sans avoir besoin de confirmation, je respire mieux, une dose d'oxygène m'arrive par les couleurs et par de nouvelles formes qui m'informent et transforment mes structures rigides internes. Une sensation d'habiter tout mon espace m'amène à explorer de nouvelles trajectoires dans les sous-couches de mon être. Un bien-être est présent, accompagné de paix et de satisfaction. J'accepte et aime ce qui se présente. Tout en moi s'assouplit, je ressens une belle douceur, une envie de découvrir et d'aimer l'être que je suis.

Je suis en accord avec la vie, avec le point qui m'invite à me confier dans le cercle, à m'exprimer, à pleurer, à rire, à danser! Par les formes et la couleur, je deviens fluide, transparente, jeune et mature à la fois, je deviens la forme et la couleur, nous ne faisons qu'un. Le point m'apporte un autre point... de vue. Je suis responsable de ce qui entre et sort de mon centre. Le point me permet de faire une mise au point, un bilan de vie avec de nouvelles données.

En atelier, j'invite les participants à expérimenter le mandala d'intuition avec les mêmes couleurs qui ont servi pour colorier le mandala d'intuition pure. Il en résulte une expérience remarquable, comme si l'un préparait l'autre, ou comme si l'un complétait l'autre.

Mandala en huit

« Avec l'attention, le développement des sens se réalise automatiquement. Mais leur entraînement conscient accélère cette amélioration. »

Roger Clerc

Le mandala en huit m'a été inspiré par le mandala d'intuition. Il est venu d'un mouvement naturel que j'exécutais et cela m'a donné l'idée d'explorer le cercle en traçant des formes de huit, de tous les côtés, de haut en bas, de gauche à droite. Cette forme en huit m'a permis d'aller et de venir, de bénéficier de ce symbole d'infini qui tantôt fait monter tantôt fait descendre, qui fait toucher le visible et l'invisible, qui fait s'élever de l'esprit à la matière, qui fait s'unir au point central afin d'amorcer l'élan pour aller à l'intérieur de soi et à l'extérieur, qui permet d'intégrer deux forces, deux énergies, soit le yin et le yang. C'est sans doute la pratique de ce mandala qui a amorcé le « senti » de la spirale.

Expérimenter le mandala d'intuition, en traçant de grands huit, invite à visiter le cercle et à traverser le centre à plusieurs reprises en suivant le rythme, comme pour une valse. C'est amusant et agréable. C'est comme si le mouvement nous entraînait dans un monde puis dans l'autre, voyageant dans toutes les directions, où certaines apparaissent plus difficiles à atteindre que d'autres, où les endroits plus sombres et plus difficiles d'accès sont à notre portée. Ce mandala en huit nous offre la possibilité de bénéficier de ce chiffre que j'aime particulièrement pour ses propriétés d'équilibre, de justice, d'achèvement et de transformation. Ce mandala nous invite à exercer la souplesse et l'attention nous oblige à passer par le centre, donc à être alertes afin d'éveiller notre vigilance, et ce, sans contrôle afin de nous apprendre à développer notre main de maître.

La structure comporte le cercle et le point. Ici, nous avons le choix des couleurs ou, si nous le désirons, nous pouvons le faire avec les couleurs primaires, bleu, rouge, jaune, comme dans le mandala d'intuition.

Amorçons le mouvement en partant du centre et faisons bien rouler la couleur au point central et, ensuite, élançons-nous vers la périphérie en traçant une grande loupe afin de revenir au centre du mandala et de redescendre vers le bas pour la continuité du huit. Reproduisons ce mouvement autant de fois que nous le souhaitons, avec toutes les couleurs. Allons dans toutes les directions et reconnaissons là où il y a résistance. Avec la grille d'évaluation, si nous le souhaitons, nos pourrons identifier quelle partie de nous refuse de livrer ses secrets. (cinquième exemple – a, b, c, d, e, f)

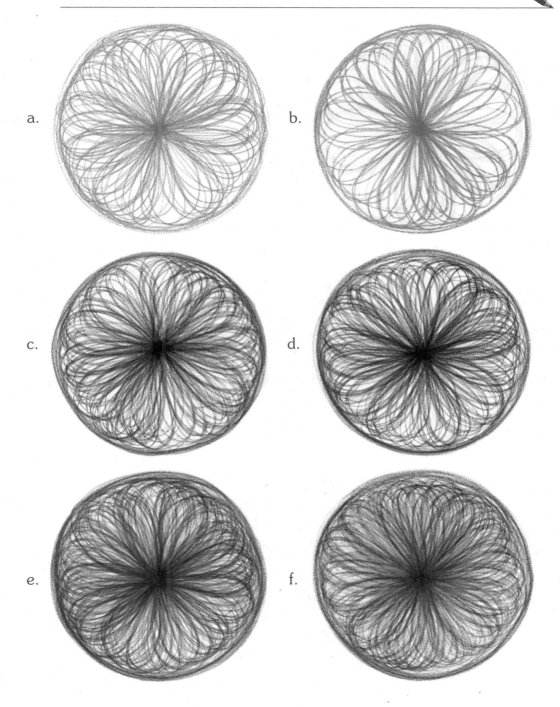

a.

b.

c.

d.

e.

f.

Mandala Ho'oponopono

« Un pas de plus pour se perdre et l'on se retrouve. »

Francis Ponge

Ce mandala, adapté selon la méthode Ho'oponopono, est une occasion de faire connaître cette technique hawaïenne, très ancienne, qui a été appliquée par le Dr Hew Len et divulguée par Joe Vitale dans son livre *Zéro limite*. Cette méthode de guérison, jumelée aux bienfaits qu'offre le mandala, facilitera, je l'espère, l'acceptation de notre responsabilité et la compréhension de notre nature véritable.

La méthode Ho'oponopono veut dire rendre droit, rectifier, corriger une erreur! Le Dr Len a pris sur ses épaules toute la responsabilité d'une aile psychiatrique. Non seulement il se sentait responsable de ses patients, mais aussi des actes qu'ils avaient commis. Cette technique nous rappelle que tout ce que nous voyons dans notre monde extérieur est en lien avec notre monde intérieur. Ainsi, les problèmes dont nous sommes témoins, ceux que nous vivons tout autant que ceux qui nous parviennent par les autres, nous devons en assumer l'entière responsabilité afin de parvenir à la pleine guérison.

Considérons le principe que l'autre, c'est nous, et que ce que nous voyons dans l'autre, nous le possédons en nous. Ce serait l'indice que les défauts de l'autre sont nos ombres en quelque sorte! C'est le chemin qui nous est enseigné pour parvenir à accepter toutes les parties de nous afin d'épurer nos mémoires, de défaire nos blocages pour qu'en chacun de nous irradie la lumière de l'être.

Mon but n'est pas d'approfondir cette méthode, qui est largement expliquée dans le livre *Zéro limite*, mais de vous initier à cette technique que j'ai adaptée au mandala. « Je t'aime », « je suis désolé », « pardonne-moi s'il te plaît » et « merci » sont les quatre phrases citées qui font en sorte de nous mettre en vibration avec ce procédé en assumant la responsabilité de ce que nous sommes et de nous en remettre au divin en chacun de nous. Dans l'exercice qui suit, le mandala est divisé en quatre secteurs en correspondance avec ces quatre phrases. Les questions ont pour but de prendre conscience des blocages logés dans les différentes parties de notre être et de trouver la bonne manière pour guérir chacun de ces secteurs en appliquant la méthode Ho'oponopono.

Structure du mandala

Traçons un grand cercle, et un plus petit au centre, pour couvrir le tiers de l'espace. Divisons le cercle en quatre secteurs et identifions-les : physique, émotionnel et affectif, créatif et spirituel. Dans le centre, inscrivons les quatre phrases liées à chacun des secteurs. Dans l'autre partie, tirons trois lignes allant du petit cercle jusqu'en périphérie pour y inscrire les affirmations. (voir page 140)

Le premier secteur est en relation avec le physique. Prononçons à plusieurs reprises : « Je t'aime. »

La chose la plus difficile au monde est de parvenir à nous aimer nous-mêmes. En affirmant « je t'aime » à notre corps physique, nous plaçons dans l'énergie les conditions favorables pour améliorer

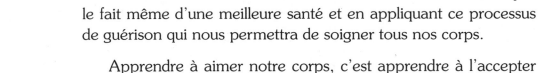

notre relation avec notre véhicule de matière en nous assurant par le fait même d'une meilleure santé et en appliquant ce processus de guérison qui nous permettra de soigner tous nos corps.

Apprendre à aimer notre corps, c'est apprendre à l'accepter et à reconnaître que nous avons choisi ce corps et que c'est celui qui est approprié pour accomplir notre accomplissement terrestre. Avec une approche pleine d'amour, le corps va mieux réagir. Il sera en meilleur équilibre, en bonne santé et sans effet secondaire. En prononçant ces mots, les belles couleurs du rose au rouge se colorent dans notre champ magnétique, ce qui signifie l'amour sous toutes ses formes.

Formulons une affirmation positive à partir de chacune de ces questions :

1- Suis-je capable de m'accepter comme je suis?

2- Est-ce que je prends soin de ma santé, de mes besoins fondamentaux?

3- Suis-je satisfait de ce que j'accomplis ou est-ce que je critique ce que je fais?

Je dis le plus souvent possible et j'inscris dans le centre du mandala :

1- Je t'aime et, chaque jour... (par exemple : je ressens de l'amour pour l'être que je suis).

2- Je t'aime et, chaque matin... (par exemple : je me réjouis pour cette nouvelle journée et je fais quelque chose qui me fait plaisir).

3- Je t'aime et, chaque jour... (par exemple : je choisis d'être au mieux en exprimant une nouvelle qualité).

> *« Votre plan émotionnel est le cahier de devoir*
> *que vous rapporterez " chez vous " lorsque*
> *vous quitterez votre coquille physique. »*
>
> Edna G. Frankel, *Le Cercle de Grâce*

Le deuxième secteur est en relation avec l'« émotionnel », l'affection. Prononçons à plusieurs reprises : « Je suis désolé. »

Ce secteur est en relation avec nos pensées, nos paroles, nos jugements, nos habitudes, nos traits de caractère, nos comportements. Lorsqu'une parole est sortie de notre bouche par mégarde, et que nous voudrions ne jamais l'avoir prononcée, alors nous pouvons dire : « Je suis désolé. » Ces mots font l'effet d'une excuse. Nous voulons réparer ce qu'a provoqué notre parole irréfléchie.

Il en va de même avec nos comportements, nos jugements, nos mauvaises habitudes. Le simple fait de prononcer cette phrase permet de rétablir l'harmonie dans nos relations avec nous-mêmes et avec les autres. Inutile de dire à l'autre que nous regrettons les jugements portés. Prononcer ces mots suffit pour réparer le négatif qui s'est installé. Par la répétition de ces mots qui deviennent comme un mantra, notre champ magnétique s'épure des énergies boueuses dans lesquelles nous étions enlisés. Nous rapportons de l'eau claire, l'eau de la source en nous pour redevenir fluide. Cette méthode permet de réparer au fur et à mesure les blessures que nous nous imposons ou que nous imposons à d'autres.

Formulons une affirmation positive à partir de chacune de ces questions :

1- Est-ce que j'éprouve de la colère envers moi-même lorsque je fais une erreur ou que je ne réussis pas à mener à terme un projet?

2- Parfois, voudrais-je mourir? Mon existence est-elle trop compliquée, difficile, souffrante?

3- Suis-je porté à nier mes émotions, car pour moi il s'agit de faiblesses?

Je dis le plus souvent possible et j'inscris dans le centre du mandala :

1- Je suis désolé et, désormais... (par exemple : j'accueille mes émotions avec tendresse et compréhension, comme je le ferais pour un ami).

2- Je suis désolé et, désormais... (par exemple : je vis ma vie comme des moments précieux qui me sont alloués pour découvrir toutes les richesses qui m'habitent).

3- Je suis désolé et, désormais... (par exemple : je suis à l'écoute de mon enfant intérieur, je suis à l'écoute de ses besoins et je le console au besoin).

Le troisième secteur est en relation avec l'aspect créatif. Prononçons à plusieurs reprises : « Pardonne-moi. »

La créativité active le cerveau droit, et c'est par le cerveau droit que nous communiquons avec le créateur en nous. Si nous négligeons cet aspect de nous au profit du cerveau gauche, nous créons un déséquilibre. Et l'intuition ne parviendra jamais à s'exprimer à travers le rationnel. Il est donc indispensable pour notre mieux-être de demander pardon à tout ce que nous avons repoussé par peur d'être jugés, critiqués. Pardon au créateur intérieur et au grand créateur de l'Univers pour ce refus d'exploiter nos dons, nos qualités, nos talents reçus.

Pardon à tout et à tous ceux qui, par mes interdictions, ont freiné leurs réalisations, leurs projets. Je me pardonne aussi.

Formulons une affirmation positive à partir de chacune de ces questions :

1- Fais-je en sorte de concrétiser mes rêves ou la peur de l'inconnu m'en empêche?

2- Suis-je fier de ce que j'accomplis ou n'est-ce jamais suffisant?

3- M'arrive-t-il de taire la présence intérieure qui tente de se manifester?

Je dis le plus souvent possible et j'inscris dans le centre du mandala :

1- Pardonne-moi, s'il te plaît. Dorénavant... (par exemple, je me réjouis à l'idée que je puisse accomplir mon projet, je sais que rien ne pourra m'en empêcher).

2- Pardonne-moi, s'il te plaît. Dorénavant... (par exemple, j'exprime le créateur en moi et ma satisfaction se ressent dans tout ce que je fais).

3- Pardonne-moi, s'il te plaît. Dorénavant... (par exemple, j'agis avec la certitude et la conviction que je suis un enfant de l'Univers, et tout contribue à ma réalisation).

Le quatrième secteur est relié au spirituel. Prononçons à plusieurs reprises : « Merci! »

Le spirituel inclut nos aspirations, nos rêves, le but de l'âme, de l'esprit, nos croyances.

Remercier notre nature divine pour ce qu'elle nous apporte de joies, de grâces, de bienfaits, c'est reconnaître que nous sommes habités par une essence en provenance de la grande source. Autant notre sang nourrit notre corps de matière, autant notre âme et notre esprit sont aptes à garder la flamme afin d'éliminer la noirceur au-dedans de nous.

Merci parce que je m'illumine de mon essence divine et j'illumine tout et tous ceux qui m'entourent.

Formulons une affirmation positive à partir de chacune de ces questions :

1- Est-ce que je prends le temps de réfléchir, de m'arrêter, de méditer, d'écouter ma voix intérieure?

2- Suis-je dominé par les croyances familiales apprises ou ai-je tout rejeté en bloc?

3- M'arrive-t-il de sentir que je suis habité par plus grand que moi?

Je prononce le plus souvent possible et j'inscris dans le centre du mandala :

1- Merci à ma nature divine et aux pouvoirs qu'elle me confère… (par exemple : je ne suis pas seul, je fais partie du tout).

2- Merci à ma nature divine et aux pouvoirs qu'elle me confère… (par exemple : je m'unis à la source en moi et j'y puise ressources et connaissances).

3- Merci à ma nature divine et aux pouvoirs qu'elle me confère... (par exemple : je crée en moi le silence pour entendre la voix de mon âme, et j'apprécie la participation de mes guides et de la hiérarchie céleste).

Préciser ces données dans le mandala, c'est mettre en lumière notre volonté de devenir ce que nous sommes vraiment. Étant donné que les changements se font d'abord dans notre pensée, lorsque tout devient clair en nous, tout se met en place à l'extérieur de nous. Tout s'inscrit en nous et autour de nous.

Ce qui est inscrit dans le cercle du mandala est aussi inscrit dans le grand cercle de l'Univers; c'est le moment idéal pour planifier un nouveau départ, pour nous prendre en main et pour cesser de douter de nous. Ces quatre petites phrases nous rappellent que nous avons la capacité de nous guérir et de guérir notre entourage, même les générations passées. C'est une invitation à chacun de ne pas oublier que nous avons reçu tout ce qui est nécessaire pour accomplir ce que la vie attend de nous. Nous sommes des êtres parfaits. Notre seule imperfection est celle de douter de nos capacités.

C'est chaque jour que nous décidons qui nous voulons être. C'est donc chaque jour qu'il faut nous rappeler que ce que nous pensons, faisons et disons contribue à harmoniser ou à déséquilibrer notre champ magnétique. Plus nous mettrons d'intentions dans nos affirmations, plus elles auront de répercussions positives sur nous.

Les questions et les affirmations servent à titre d'exemple. Il vous est possible de changer, d'adapter les questions et les affirmations selon vos besoins et pour vous-même.

Mandala Ho'oponopono

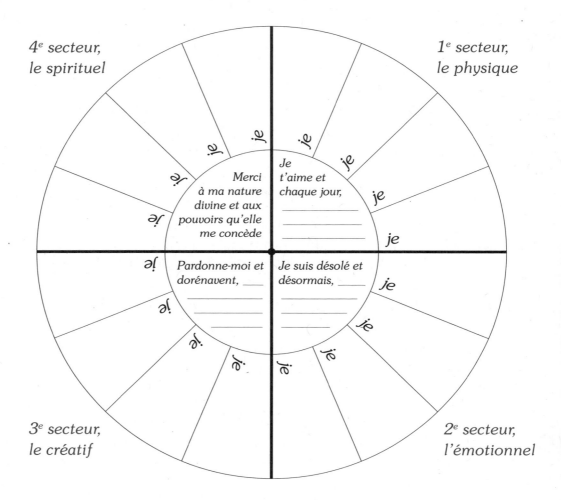

Mandala de groupe

« Il faut que la bonté soit au fond de nos rires. »

Victor Hugo

Lors de nos rencontres en famille ou entre amis, amorcer le mandala de groupe donne un ton différent à nos soirées et laisse un souvenir inoubliable. Il est approprié lors d'un anniversaire de naissance ou à Noël, à Pâques, lors d'une réception-cadeaux de bébé, lors du départ d'un employé, d'un deuil, d'une fête d'enfant, d'une graduation, d'un enterrement de vie de jeune fille, etc.

En plus de susciter une curiosité nouvelle, il en résultera une œuvre personnalisée, avec ses variances de couleurs et de formes, qui immortalisera ces instants en couleur! Ce mandala, en plus d'offrir une occasion d'exprimer notre créativité, permettra à chaque participant de bénéficier de l'entrée dans le cercle, ce qui procurera à chacun plus de paix, d'harmonie.

Pour faire ce mandala, prévoyons un papier cartonné assez grand pour y tracer un cercle suffisamment grand pour le groupe, des crayons de bois déposés sur un plateau, où chacun pourra choisir à sa guise les couleurs de son choix, ainsi qu'un taille-crayon.

1- Lorsque le cercle est bien fermé et que le point est bien en évidence, le premier jet est en principe amorcé par l'hôte ou l'hôtesse ou par la personne qui commence l'exercice en dessinant, à partir du centre, une forme, une image ou un symbole

141

de son choix. Cela peut être une cloche pour représenter Noël, des initiales ou une représentation significative pour l'occasion.

2- Il est préférable de placer le mandala dans un endroit calme et retiré afin que chacun, à tour de rôle, participe à l'activité, sans contrainte, de façon libre, afin de créer un motif qui viendra s'ajouter au dessin déjà existant. Puis, chacun inscrit son nom en périphérie en guise de participation active à cet événement.

3- Il se pourrait que certains veuillent expérimenter d'autres espaces dans le cercle, mais il est bon de les ramener au centre afin de ne pas rompre la synergie qui amène tout un chacun à s'impliquer autour du centre, comme s'il s'agissait d'une belle ronde fraternelle.

4- Si nécessaire, invitons ceux qui le désirent à revenir combler les espaces vides.

5- Une fois terminé, donnons un titre afin de mémoriser l'événement et inscrivons-y une date.

Les premiers dessins semblent perdus dans le grand cercle et, peu à peu, comme une maison qui s'emplit d'invités, le mandala s'habille de formes et de couleurs disparates qui s'harmonisent de façon intéressante à l'intérieur du cercle. Le gribouillis des petits ou les personnages abracadabrants des adolescents incitent les plus réservés à oser mettre leur touche. Les derniers venus profitent d'une table bien dressée où les formes sont toutes aussi invitantes les unes que les autres, ou un simple petit trait de crayon donne naissance à une forme superbe.

Ce simple exercice permet de vivre de façon plus consciente nos rencontres, d'échanger sur d'autres niveaux vibratoires, évitant les plaintes inutiles, les échanges banals, les discussions trop animées. Ce mandala, en plus d'animer nos soirées d'un plein de créativité, peut faire germer chez certains quelques champs d'intérêt nouveaux. Une fois le mandala terminé, c'est un plaisir pour chacun de constater ce que la solidarité et la participation de tous ont créé. C'est très significatif, pour les enfants comme pour les grands, d'occuper une place dans le cercle. C'est la confirmation que chacun a bel et bien sa place dans la grande famille humaine et universelle.

Voici un exemple d'un mandala de groupe réalisé chez moi à Noël 2009.

Voici un autre exemple d'un mandala de groupe réalisé par des femmes pour célébrer la venue prochaine d'un nouveau-né. Chaque participante a colorié dans le cercle puis a signé autour du cercle, s'inscrivant ainsi comme gardienne de l'enfant à naître. Déjà, un lien s'est créé entre elles et l'enfant, car dans le ventre de sa mère, il a ressenti cette présence protectrice.

Mandala chez les enfants

*« On ne peut donner que des ailes et des racines
à nos enfants. »*

Proverbe juif

Les enfants sont très attirés par les mandalas, car le côté ludique les rejoint. Ils comprennent que cet espace à l'intérieur du cercle leur est réservé, qu'il représente leur droit d'appartenance, comme le précise le psychologue Erich Neumann. L'enfant est moins structuré et compartimenté que l'adulte. Sa liberté d'expression est donc moins entravée par des blocages de toutes sortes. Il goûte de façon intensive les formes et les couleurs. Alors que l'adulte travaille par couches successives, avec la nécessité de défaire des blocages, d'épurer des mémoires, l'enfant travaille en ligne directe. Il est apte à accueillir le nouveau, car il est plus adaptable et plus près de son centre.

L'enfance est une période importante qui aura des répercussions sur l'avenir. Il est important d'encourager les enfants sur la voie du mandala, car il peut devenir un exutoire tout au long de leur existence, ce qui pourrait faire une différence dans leur vie. Avec les exigences de la vie moderne, les enfants sont souvent privés de la présence des parents et vivent beaucoup de solitude, alors s'ils considèrent le mandala comme un compagnon de vie, là où ils peuvent tout exprimer, ils profiteront de plus d'équilibre et d'harmonie. C'est un outil à leur portée qui les rejoint dans le jeu et le plaisir. Il procure un autre champ d'intérêt que la télévision ou les jeux vidéo qui sollicitent fortement le système nerveux. Le mandala leur permet de développer une meilleure concentration, une attention plus soutenue ainsi que l'habitude de rechercher le calme, la paix.

Lorsque l'enfant colorie, c'est une belle occasion pour les parents d'observer le travail de l'enfant qui exprime de façon authentique son état. Il leur est possible d'identifier s'il y a un manque de confiance, de nonchalance, de joie, de tristesse ou trop de perfectionnisme, car l'enfant s'exprime dans le mandala comme il le fait dans la vie. S'il a l'habitude de suivre les autres, en principe, ce trait de caractère se traduira dans le coloriage, alors le parent pourra travailler dans le sens d'amener l'enfant à développer plus d'initiative, de débrouillardise, en lui disant qu'il n'a rien à craindre, qu'il est protégé par le cercle et que ce même cercle protecteur se retrouve autour de lui. En bon guide, le parent peut suivre l'évolution de l'enfant en l'amenant à voir en lui les qualités nécessaires pour devenir un adulte accompli et heureux.

Le mandala offre l'occasion aux parents de travailler avec l'enfant sur un autre plan de conscience, et en passant par la créativité, il peut l'amener à développer une meilleure confiance en lui, comme grossir le point central dans ses dessins. Pour le perfectionniste, pratiquer le mandala d'intuition l'incitera à promener la couleur librement sans vouloir « faire beau », sans contrôler le mouvement. Ce mandala aura pour effet de délier l'aspect rigide et exigeant qui tend vers trop de performance. L'enfant en bas âge qui craint de ne pas réussir ou de ne pas briller se retrouvera dans quelle prison morale à l'adolescence ou à l'âge adulte?

Apprendre à l'enfant à être un enfant est un travail important qui nécessite de ne pas trop nous prendre au sérieux, de rire, de jouer avec les couleurs. Aider l'enfant à accepter que même si tout n'est pas parfait, il doit apprendre à aimer ce qu'il fait, et surtout qui il est.

Si un enfant a tendance à mentir, à forcer la vérité, le parent peut l'amener, grâce au mandala, à s'approcher de la vérité en l'interrogeant sur son dessin, sur les couleurs. Qu'est-ce que le bleu produit en lui? Le rouge? Le jaune? En cherchant à savoir ce qu'il vit, il pourra amener l'enfant à dire les vraies choses, à s'approcher de la vérité, à parler de sa réalité, à développer l'habitude de dire ce qui est. Lui apprendre que la vérité affranchit, c'est une approche qui ne peut que lui être profitable.

La neuropédagogie démontre l'importance du coloriage pour développer l'hémisphère droit du cerveau, où se développe le jeu, la créativité. Donc, il est peu probable que, dans nos écoles, où est favorisé le développement de l'hémisphère gauche, qui stimule les qualités intellectuelles au détriment de l'hémisphère droit, nos enfants pourront y développer un équilibre. La tâche revient aux parents de favoriser la créativité de leur enfant, et si les parents participent, cela permettra de rendre l'utile à l'agréable.

Dans le coloriage du mandala se fait l'union entre les deux hémisphères, c'est pourquoi il procure aux enfants une meilleure attention, une plus grande capacité de se concentrer, il apporte calme et harmonie dans les classes et à la maison. Pour les enfants qui à l'adolescence devront s'ajuster et faire le tri entre ce qui vient des parents et ce qui s'avère leurs véritables valeurs, alors le mandala leur sera profitable afin de garder un bel équilibre et une harmonie dans ces temps de grande remise en question. Pour tous les enfants du monde, le mandala est un outil de créativité qui leur apporte plaisir et divertissement, et c'est par la créativité qu'ils évoluent en beauté.

Témoignage de l'auteure

Depuis quelques années, je rencontre les classes de cinquième année. Chaque fois, c'est le même accueil, même s'il s'agit d'élèves nouveaux. Sans doute que les professeurs ont trouvé la façon de susciter leur intérêt, car je suis accueillie avec joie, comme si j'étais porteuse de bonnes nouvelles. Dès que les cahiers sont distribués, le premier geste fait est d'inscrire leur nom sur ce cahier qui deviendra pour eux un véritable trésor. Leur empressement à colorier est si visible que je me dois d'être expéditive dans mes explications, car ils ont vite fait de choisir leur dessin. Ce qui m'a surprise, entre autres, c'est leur intérêt prononcé pour connaître la signification des couleurs. C'est là une preuve qu'ils sont aptes et volontaires à recevoir des notions nouvelles.

À la maternelle, cela s'est passé différemment. Les enfants dessinaient sur une feuille sur laquelle le cercle était déjà tracé. Après avoir expliqué la base du mandala, certains enfants, sans hésiter, ont plongé dans le cercle sans se soucier des résultats. D'autres, plus hésitants, n'osaient s'aventurer sans d'abord regarder ce que faisait leur voisin. Quelques-uns n'arrivaient pas à se détacher du centre tant l'espace leur semblait inquiétant, inconnu.

Chaque enfant exprimait sa façon d'être, son état. Le temps était compté, mais je me serais impliquée volontiers pour voir évoluer ces petits d'un dessin à l'autre. Il est certain qu'il y aurait eu des changements, surtout si le mandala avait fait partie du programme, car le mandala crée un mouvement qui produit des effets remarquables chez les plus petits. Heureusement qu'il y a des enseignants évolués qui ont compris l'importance et l'utilité du mandala. Ils confirment que cet outil contribue grandement à ramener l'ordre, le silence, l'harmonie. Plusieurs professeurs ont remarqué que la pratique du mandala favorisait une meilleure concentration, une attention plus soutenue ainsi qu'une mémorisation plus accrue.

Un jour, peut-être que les comités de parents et de professeurs miseront sur le mandala, après l'avoir expérimenté eux-mêmes, parce qu'ils comprendront à quel point il est bénéfique et rééquilibrant pour nos enfants, ces adultes de demain qui cherchent à quoi s'identifier. Par rapport à ce proverbe juif où il est dit que nous pouvons donner à nos enfants des ailes et des racines, je crois que le mandala peut non seulement combler ces exigences, mais aussi leur apprendre à voler de leurs propres ailes.

Mandala d'écriture

« Le fait de mettre un objectif par écrit constitue le premier pas vers sa réalisation. »

Lee Laccoca

Le mandala d'écriture est constitué du cercle et du point et il permet de délier la pensée sans laisser le mental intervenir. Dans ce mandala, il n'y a pas de souci à se faire à propos de la syntaxe, car il s'agit de laisser couler les mots. Ce mandala peut servir de préparation pour développer un sujet donné, car il permet d'éliminer la peur de l'écriture, ce que plusieurs éprouvent sans même s'en rendre compte. Cet exercice permet de déloger des idées erronées, comme « les écrits restent ». Ces mots freinent parfois l'élan du cœur.

Ce mandala place le mental au service de l'intuition en permettant d'écrire dans cet espace circulaire et non de façon linéaire, comme nous en avons l'habitude. En rejoignant le centre, il s'agit d'aller chercher le filon intérieur qui prolongera en mots le contenu de l'âme, du cœur.

En partant du centre, inscrivons nos initiales ou commençons l'écriture, sans juger le sens des mots. Écrivons en tournant la page pour conserver la forme circulaire, ce qui déstabilise l'hémisphère gauche, laissant tout l'espace à l'expression de l'hémisphère droit. Tourner la page est quelque peu déroutant, mais cela permet de sortir des sentiers battus, de créer de nouvelles façons de faire afin d'exprimer l'inédit. Une fois les premiers messages inscrits, tout le reste se fait de façon intéressante et agréable, car l'exercice dans le cercle assure le bon dénouement par son aspect protecteur. Donc, le côté linéaire est substitué et offre dans un autre sens une écriture nouvelle et créative à souhait. Il est une bonne préparation pour contrer l'effet de la page blanche.

Il est préférable de ne pas nous faire une idée trop rapide de ce mandala d'écriture, car, avec la pratique, il peut nous surprendre, nous apprendre que le monde ne finit pas là où s'arrête nos connaissances. Nous avons appris à écrire de gauche à droite tandis que d'autres peuples font l'inverse, alors nous avons tant à découvrir sur nous, sur nos possibilités, que toutes les façons nouvelles peuvent être d'enrichissantes expériences.

Une deuxième version du mandala d'écriture, proposée ici, est d'inscrire au centre du mandala une intention et tout ce que cela pourrait produire comme effet. Si, par exemple, je veux acheter une maison au bord de l'eau, je précise tout ce que cela va m'apporter : les bienfaits, les plaisirs, l'agrément, le côté pratique, etc.

En faisant cet exercice, il s'agit d'unir à la fois l'intention et l'attention en précisant ce que nous souhaitons, ce que cela nous apporte comme épanouissement, et terminer en remerciant. Exprimer notre gratitude, c'est agir comme si notre souhait était déjà réalisé. Cela nous place dans un état vibratoire d'accomplissement, de réceptivité.

Témoignage de l'auteure

Lorsque je fais ce mandala d'écriture, je ne contrôle ni le geste ni la pensée. C'est quelque peu rigide encore, c'est différent et cela dérange mes habitudes, mais en commençant par le centre, un effet se produit. Je goûte une liberté qui me permet de tout dire, d'accepter ce qui vient. Les pensées roulent dans ma tête et je les suis sans me soucier si cela a du sens.

Par la suite, j'ai eu envie de dessiner ce que je venais de vivre. J'ai ressenti une libération, une façon spontanée d'exprimer mes états d'âme. J'adore ce mandala. Il prend mes mots tels qu'ils sont, je suis tantôt un mot, tantôt un point qui se déroule et qui n'a jamais fini de se révéler.

151

Mandala relationnel

« Je ne sais pas si j'ai atteint celui à qui je m'adressais.
Peu importe, car le message, même s'il n'atteint pas celui
à qui on l'adresse, parvient toujours à quelque destination. »

Christiane Singer

Ce mandala s'adresse à ceux ou celles qui souhaitent solidifier des liens ou, au contraire, finaliser une relation, une association, et ce, de façon consciente et harmonieuse. Il peut améliorer les relations de couples, d'amis, de parents et d'enfant, de beau-père et de belle-fille, de professeur et d'élève, de voisins, etc. Ce mandala peut être utile pour resserrer les liens familiaux, pour rapprocher des personnes distantes ou celles avec qui nous avons eu un différend, une querelle ou que nous avons blessées par nos paroles ou autres.

S'il s'agit d'une relation de couple, traçons deux cercles avec les couleurs identifiant chaque personne. À l'intérieur du cercle, colorions à partir du centre en roulant la couleur en périphérie, en étant conscients de ce que nous faisons. Il est possible d'utiliser plus d'une couleur, c'est au choix de chacun. Lorsque les deux cercles sont coloriés, traçons des lignes en guise de liens, faisons un aller et un retour avec ces mêmes couleurs. Ici, le huit revient pour unir les deux cercles. Faisons autant de traits que nous voulons.

Ce mandala est d'une grande simplicité et efficace. Il est constitué d'autant de cercles qu'il y a de personnes concernées.

Lorsqu'il s'agit de finaliser une relation, une association, l'exercice est le même. Traçons autant de cercles qu'il y a de coupures à faire et choisissons les couleurs qui représenteront chaque personne. Si c'est difficile à trouver, utilisons le gris, le brun, le noir ou d'autres couleurs. Prenons une couleur, ou même plusieurs, c'est au choix de chacun. Une fois les couleurs identifiées, colorions chaque cercle en commençant par le centre et en roulant la couleur du centre vers la périphérie.

Avant de commencer l'exercice, prenons le temps de réfléchir à ce que nous allons faire, surtout lorsqu'il s'agit de couper des liens. Cet exercice symbolique est très efficace, car en traçant les cercles, ce geste produit des effets à plusieurs niveaux. Son efficacité réside dans le fait qu'une volonté est présente à agir, unissant l'intention et la pensée. Il m'est arrivé souvent d'envoyer des fleurs en pensée. C'est en quelque sorte comparable, bien que je ne manque jamais de le faire pour créer une belle ambiance, un accueil chaleureux, amical. C'est un souhait qui se rend toujours à destination, comme le dit Christiane Singer. Le mandala relationnel produit des effets similaires avec la différence qu'il oblige à davantage d'implication, tant sur le plan de la décision que de l'action. Il faut prendre le temps de dessiner, de colorier, de finaliser l'exercice, et l'intention est soutenue par une action concrète, ce qui dans l'« invisible » ne peut que créer un impact significatif.

Comme il s'agit de couper les liens, utilisons un ciseau pour séparer d'un côté son propre cercle et de l'autre les associés. Faisons ce geste de façon consciente en remettant à l'autre toute sa liberté et en lui souhaitant le meilleur. Évitons la vengeance, la colère ou le ressentiment. Lorsque la séparation est concrète, plaçons tous les cercles, y compris le nôtre, dans une enveloppe, et rangeons-les dans un endroit privé auquel personne n'a accès.

Certaines personnes vont préférer brûler le tout. C'est libre à chacun. Ce mandala pourrait être utilisé pour couper les attaches qui nous relient à une personne décédée et de qui nous ressentons l'emprise.

Il est important de maintenir une intention pure, car il ne serait pas recommandé d'utiliser cet exercice pour maintenir une relation vouée à l'échec ou pour retenir l'autre malgré lui. Donc, il est important d'être honnête envers soi-même et de respecter l'autre personne impliquée dans cet exercice. Lorsque l'on travaille avec la pensée, donc avec l'énergie, il est nécessaire de se plier à l'ordre cosmique et de faire en sorte que ce mandala contribue à améliorer les relations ou à les finaliser de façon harmonieuse.

Témoignage de l'auteure

Lors du décès de ma mère, ayant perdu le pilier familial, j'ai fait ce travail pour conserver la proximité qui existait entre les femmes du clan, alors j'ai tracé un cercle me représentant et cinq autres cercles autour avec les couleurs associées à mes cinq sœurs. Avec les couleurs de chacune, j'ai fait ressortir le point central puis j'ai colorié chacun des mandalas. Une fois terminé, dans un mouvement répétitif, j'ai tracé les lignes qui unissaient tous nos cercles en guise de rapprochement.

Dans un autre ordre d'idée, ce mandala peut être utilisé pour nous-mêmes si nous voulons unir le corps, l'âme et l'esprit, ou l'enfant intérieur, l'adulte et le parent.

Plaçons dans chaque cercle ce que nous voulons et unifions-le au cercle du centre qui nous représente, puis traçons les liens en couleur. Nous pourrions aussi développer des aspects de notre personnalité, énoncer les qualités que nous admirons chez les personnes que nous prenons pour modèles. Ainsi, nous placerions tous les cercles autour du cercle central, avec les fils de couleurs les unissant. Cet exercice peut faire en sorte de faire jaillir des qualités ignorées, insoupçonnées. Utilisons des crayons de couleurs différentes pour identifier chaque qualificatif. Traçons en forme de huit les lignes afin d'unifier le tout et pour nous rappeler que nous possédons déjà une multitude de qualités que nous n'avons pas pris le temps de cultiver et dont les rappels nous parviennent par notre entourage. Le même exercice pourrait être fait avec nos rêves, nos souhaits, nos aspirations. Il n'y a aucune limite à la créativité.

Cet exercice pourrait être fait pour nous libérer d'un traumatisme et nous pourrions dire en même temps : « Je reprends les énergies que j'ai laissées dans cet événement. Je me libère de ces mémoires et je suis un être libéré, prêt à servir l'humanité en gage de remerciement. »

Il pourrait également s'agir d'une blessure psychologique, d'une peur précise dont nous désirons nous départir. Faisons cet exercice avec amour et conscience, sans oublier que ce que nous lions ou délions dans le cercle, nous le lions ou le délions en nous-mêmes!

mandala de couple

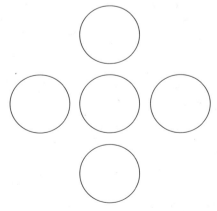

mandala relationnel

❧ Conclusion ❧

Le mandala est vivant
en chacun de nous

*« Pour autant que nous soyons à même de le discerner,
le seul sens de l'existence humaine est d'allumer
une lumière dans les ténèbres de l'être pur et simple. »*

Carl Gustav Jung, *Ma vie*

ous sommes tous appelés à devenir ce que la vie attend de nous, et notre essence suprême tente de se révéler, mais elle doit franchir les frontières de la personnalité maintenues serrées par l'ego apeuré par les changements. Il en résulte que, durant une grande partie de notre vie, nous trimons dur sans savoir quel est notre but sur terre, et encore moins qui nous sommes. Aujourd'hui, l'intelligence de la vie nous offre une occasion de découvrir notre nature véritable en prenant conscience que chacun de nous est un mandala vivant et que nous disposons de la capacité de comprendre le plan de l'âme et de devenir l'être que nous sommes vraiment.

En tant que mandala vivant, nous disposons d'un cercle et d'un centre où tout ce qui émane de nous s'inscrit dans notre champ magnétique! Donc, sans cesse, nous colorons notre espace vibratoire avec nos pensées, nos paroles, nos actes! Alors, si nous parvenons à émettre des pensées élevées, à faire des gestes conscients, à prononcer des paroles justes, nous sommes assurés qu'à l'intérieur de notre cercle magnétique brilleront les plus belles couleurs, la joie, l'harmonie. En agissant ainsi, des êtres au cœur pur et à l'esprit lumineux graviteront autour de nous.

Nous détenons un pouvoir inouï, celui de refaire de nouvelles trajectoires, de reconstruire de nouveaux paradigmes, de nous élever jusqu'aux étoiles si nous le voulons ou de devenir des êtres multidimensionnels. Avec l'aide du mandala, nous pouvons aiguillonner notre être physique avec notre être essentiel, car il dispose d'une sorte d'engrenage central qui ajuste à la fois les différents aspects de notre être en convergence avec notre centre.

Il nous invite à revenir au centre. Maintenant que nous avons exploré le monde extérieur, nous sommes conviés à visiter notre demeure intérieure, notre lieu sacré. Pour ce faire, le mouvement du mandala nous fait voyager à l'intérieur de nous, de haut en bas et de bas en haut dans les profondeurs de notre être afin de nous faire découvrir la verticalité!

Le temps est venu de prendre conscience de notre capacité à nous tenir debout devant la vie, et à nous reconnaître en tant que mandalas vivants ayant le pouvoir de transcender la matière. Nous disposons du pouvoir de nous libérer des mémoires, des attaches qui nous emprisonnent pour que nous puissions nous ouvrir aux dimensions de l'âme et de l'esprit dans le but de nous illuminer de notre propre feu. Il nous faut reconnaître que nous sommes des mandalas vivants aptes à voyager sur le chemin du centre, là où il n'y a plus de dualité. C'est la grâce que je souhaite à chacun de nous!

❧ Témoignages ❧

« J'ai acheté deux de vos cahiers mandalas à colorier. Je travaille sur le mental, je suis sophrologue. Mais cordonnier mal chaussé! Alors je m'appuie sur ce que vous avez créé, en y mettant tout l'énergie que je peux. Je me sens plus tonique. Merci de partager votre talent! »

Monique, Paris

« Il est important que je vous dise que vos mandalas et les pensées qui les accompagnent m'ont profondément touchée. Depuis, vos mandalas m'accompagnent! Félicitations pour la beauté que vous nous procurez. »

Cécile, Bretagne

« J'ai colorié les mandalas sur l'estime de soi. Je n'aurais jamais pensé avoir autant de plaisir à colorier. Chaque fois, je suis étonnée des couleurs que je ne pourrais répéter. Je feuillette souvent le cahier et je suis émerveillée. Un grand merci! »

Mireille, Montréal

« Je vous suis reconnaissante pour votre beau travail. J'ai colorié, entre autres, le cahier sur la joie en me disant que si je retrouvais mon sourire absent depuis fort longtemps, mon impatience envers les futilités quotidiennes laisserait place à plus de positif. »

Catherine, Montréal

« *Grâce à une amie, j'ai découvert les cahiers de mandala à colorier agrémentés d'une pensée. Ils m'ont apporté un formidable support de transformation intérieure qui m'anime depuis. Le coté artistique m'a apporté une bouffée d'oxygène extraordinaire. Je vous remercie pour votre témoignage de créativité et cet outil thérapeutique.* »

Laurence, Paris

« *J'ai reçu le cahier mandala de guérison en cadeau, et j'ai passé des heures fantastiques à colorier. En étant baignée dans la couleur, j'ai oublié mon mal et mon avenir. L'instant présent m'a procuré une grande joie. Merci pour ce partage!* »

Nicole, St-Eustache

« *J'ai eu énormément de plaisir à colorier vos mandalas, ils sont réconfortants et vivifiants. C'est vraiment une initiative géniale et les thèmes abordés sont très appropriés. Merci beaucoup!* »

Réjane, Montréal

❧ Bibliographie ❧

CHEVALIER, Jean, et Alain GHEERBRANT, *Dictionnaire des symboles*, Robert Laffont, Paris, 1982.

CUNNINGHAM, Bailey. *Mandala : voyage vers le centre*, Le courrier du livre, Paris, 2003.

DAHLKE, Rudiger. *Mandalas : comment retrouver le divin en soi*, Dangles, France, 1988.

DEE, Jonathan, et Lesley TAYLOR. *La thérapie par les couleurs*, du Roseau, Québec, 2005.

FILLIOZAT, Isabelle. *L'année du bonheur*, J. C. Lattès, 2001.

FINCHER, F. Susanne. *La voie du mandala*, Dangles, France, 1993.

FRANKEL, G. Edna. *Le Cercle de Grâce*, Ariane, Québec, 2005.

GELB, J. Michael. *Pensez comme Léonard de Vinci*, de l'Homme, Québec, 1999.

JUNG, Carl Gustav. *Ma vie*, Gallimard, 1973.

LEBLANC, Diane. *Bienvenue dans la cinquième dimension*, des 3 monts, Canada, 2007.

MERCIER, Marcel. *Les couleurs de la guérison*, Le Dauphin Blanc, 2009.

MOSS, Richard. *Le mandala de l'être*, Albin Michel, Québec, 2008.

ROSSIGNOL, Marie-Claire. *Les couleurs : leur puissance et leur pouvoir*, Quebecor, Québec, 2005.

TOLLE, Eckhart. *Le pouvoir du moment présent*, Ariane, Québec, 2000.

TUCCI, Giuseppe. *Théorie et pratique du mandala*, Fayard, 1974.

WOOD, Betty. *L'influence de la couleur*, Le jour, Québec, 1984.

Les Mandalas à colorier
de Claudette Jacques

courriel : idal@sympatico.ca
www.mandalaclaudettejacques.com

Marquis imprimeur inc.

Québec, Canada
2011